LE NOUVEL ENTRAÎNEZ-VOUS

internet

niveaux A1 / A2

150

activités

Giedo CUSTERS
Christian RODIER

D1473541

CLE
INTERNATIONAL
www.cle-inter.com

Direction éditoriale
Michèle Grandmangin

Édition et adaptation maquette
Jean-Pierre Delarue

Illustrations
Eugène Collilieux

Mise en page
C.G.I.

Conception graphique couverture
5 point com

© CLE International 2006 – ISBN 209-033347-?

AVANT-PROPOS

Ce cahier d'exercices, « **150 activités avec l'internet aux niveaux A1/A2** », s'inscrit dans la continuité de l'ouvrage paru en 2004 chez CLE International : **150 activités sur l'internet au niveau intermédiaire (G. Custers, E. Pâquier, C. Rodier, CLE International, 2004)**. Il a été conçu dans une démarche inspirée des approches communicatives : il s'agit de travailler avec des documents authentiques, de les aborder dans leur globalité sémantique, puis d'approfondir leur compréhension dans un second temps en ayant pour objectif l'intérêt, le plaisir et la communication.

Il est destiné à une utilisation en autonomie à domicile ou en centre de ressources et se compose principalement d'activités fermées ou semi-ouvertes regroupées dans ce cahier d'exercices. Un livret de corrigés regroupe les solutions aux exercices.

En général, l'utilisation de l'internet dans la classe de langue au niveau débutant (A1/A2) se passe principalement à travers des sites « pédagogisés ». Consultez par exemple le site : *http://doc.vichy-universite.com/index.pl. En bas de la page,* vous trouverez FLE/CAVILAM/Activité en ligne. Vous cliquez et vous choisissez : Acitivité A1 qui proposent des activités principalement grammaticales, mais aussi lexicales, de compréhension orale et écrite, de civilisation.

Le cahier d'exercices se propose d'utiliser des sites authentiques (hormis deux fiches) et d'habituer dès le début les apprenants à avoir des réflexes d'apprentissage qui vont les mener vers une plus grande autonomie. Plusieurs aspects nous semblent importants.

• L'aspect culturel est bien sûr fondamental. À travers les activités, les apprenants vont peu à peu se familiariser avec la civilisation française actuelle, en discerner quelques contours, en approcher quelques aspects. C'est modeste mais, à ce niveau, c'est important de montrer que l'apprentissage d'une langue est aussi celui d'une culture vivante et multiforme et que celle-ci est accessible grâce à l'internet partout dans le monde : aujourd'hui, apprendre le français se justifie également par la richesse du ouaibe (comme on dit au Québec) francophone.

• Le travail sur l'internet permet à chacun de travailler à son rythme, dans le cadre d'un cours ou en autonomie, plus ou moins partielle à ce niveau. Cela permet aux plus rapides de ne pas s'ennuyer (quand ils ont fini un exercice, ils peuvent en faire un autre) et aux plus lents de ne pas souffrir de la comparaison : au bout du compte, ils ont rempli le même contrat que les autres en réalisant l'activité demandée.

• L'utilisation de l'internet met en contact direct avec des documents authentiques. C'est par ailleurs un média qui nécessite réflexion : se repérer dans un site, apprendre à y trouver des informations, à en appréhender le sens global, tout cela ne peut que faciliter un « apprentissage incident » du vocabulaire, mettre en place des stratégies de compréhension, de contournement de difficultés qui seront réinvesties tout au long de l'apprentissage.

• Dans beaucoup de fiches, nous proposons aux apprenants de travailler avec le dictionnaire de la langue française de TV5. C'est un dictionnaire en ligne qui est d'accès facile, il a l'avantage de présenter pour un mot sa définition, des synonymes, une traduction en anglais et la conjugaison des verbes. C'est un dictionnaire hypertextuel : chaque terme utilisé a un lien qui renvoie à sa définition. Pour les étudiants, cela devient une habitude après quelques semaines : quel que soit l'exercice proposé, ils ouvrent d'abord le dictionnaire et quand ils rencontrent une difficulté, au lieu d'avoir recours au professeur, ils essaient de s'en sortir seuls.

• Ce dictionnaire est en lui-même un champ d'exercices : pour un débutant, une définition, même simplifiée, pose des problèmes et les résoudre n'est pas si évident. Chaque apprenant met alors en place ses propres stratégies.

• Il n'est pas parfait (aucun dictionnaire ne l'est), les définitions sont parfois trop métalinguistiques et il ne prend pas en compte les pronominaux (par exemple) mais globalement c'est un outil précieux qui accompagne l'apprentissage du début à la fin.

• À ce niveau, les thèmes abordés et les compétences demandées sont limitées. De plus, chaque professeur sait très bien qu'il ne suffit pas de voir une fois pour que cela soit acquis. Il est donc naturel de retrouver les mêmes thèmes à plusieurs reprises (raconter une vie, sa vie, le vocabulaire de base, celui de la famille, la nourriture, les objets du quotidien, les professions, les couleurs…). Cela peut servir d'exercice de mémorisation, de reprise, de renfort…

• La plupart des exercices travaillent la compréhension écrite. Elle peut être globale (on demande plus une compréhension du document que des mots), de repérage (l'apprenant doit repérer certains éléments du document pour répondre aux questions) ou précise, détaillée (il doit aller chercher des éléments précis).

• On trouve aussi beaucoup d'exercices de vocabulaire, quelques exercices de grammaire (structure de la phrase simple, articles, écriture des chiffres…) et quelques propositions d'expression écrite. Il y a aussi plusieurs fiches qui travaillent la compréhension orale.

L'organisation du cahier

Le cahier regroupe cinquante fiches comportant chacune trois activités. La plupart du temps, ces activités sont indépendantes et peuvent être réalisées pour elles-mêmes.

Chaque fiche comprend l'adresse du ou des sites nécessaires à la réalisation de l'activité, les objectifs visés et les exercices. Nous avons, après les avoir « testées » sur nos stagiaires, pris beaucoup de soin pour formuler le plus clairement possible les consignes. Mais l'exercice est redoutable… Elles se terminent parfois avec un encadré « Pour aller plus loin » qui suggère de nouvelles pistes de navigation dans le même site ou dans des sites abordant la même thématique.

Certaines fiches peuvent être traitées en une seule séance de 45 minutes en salle informatique, d'autres nécessitent plusieurs séances : il est difficile d'évaluer avec précision le temps nécessaire pour résoudre les problèmes, temps qui varie selon chaque groupe…

Nous avons fait le pari que les apprenants allaient progresser… Le degré de difficulté augmente donc sensiblement au cours de l'ouvrage mais la grande majorité des fiches relèvent du niveau A1 : si les sites sont complexes, le travail demandé est réalisable par des étudiants de ce niveau. Toutes ces fiches ont été testées par des étudiants du Cavilam et modifiées selon leurs indications. Merci à Sol, Yun Ja, Yinglei, Nestor, Crisanto, Arcenio, Sang-Ryon, Jee Hi, Jee Won, Sœur Anne et les autres…

Les formes d'exercices sont aussi variées que possible, la contrainte étant de fournir une solution : mots croisés, mots cachés, appariement/association, textes lacunaires, exercice de remise en ordre, questions semi-ouvertes, production de questions, problèmes à résoudre, tableaux/grilles à compléter, QCM/Vrai-Faux…

Bonne découverte !

Bon travail avec ces exercices : qu'ils vous donnent autant de plaisir que nous avons eu à les créer.

Les auteurs

Giedo Custers, *professeur de français en Belgique, collaborateur CTTL (univ. Hasselt), coordinateur TICe du projet FORMACOM, responsable TICe CEO-FIPF, déjà co-auteur de « 150 activités au niveau intermédiaire », CLE 2004.*

Christian Rodier, *formateur au CAVILAM, Vichy, et déjà co-auteur chez CLE de « Documents authentiques écrits », de « Documents oraux » et de « 150 activités au niveau intermédiaire ».*

Sommaire

THÈMES ET OBJECTIFS

	Fiches		Thème	Objectifs principaux
1	Première leçon	A1	Le vocabulaire de l'Internet	Le vocabulaire de l'Internet et des consignes
2	Conjuguer les verbes	A1	Les verbes au présent de l'indicatif	Grammaire : le présent de l'indicatif
3	Un site utile pour le vocabulaire	A1	Les nombres, les vêtements, les meubles	Écrire les nombres. Le vocabulaire
4	Les chanteurs et les chanteuses	A1	Biographies	Les dates, les lieux, les chiffres
5	Les photos de Yann Artus-Bertrand	A1	Paysages, couleurs et personnes	Observation d'images. Les couleurs. Les métiers
6	La famille de Romain	A1	La famille	Vocabulaire. Dictionnaire en ligne
7	Une chambre	A1	Les meubles, la localisation	Vocabulaire de la maison. Les localisateurs
8	Le marché	A1	Fruits et légumes	Masculin-Féminin. Les couleurs
9	Les métiers	A1	Les noms de profession	Compréhension écrite sélective
10	Biographies	A1	La vie de quelques écrivains	Compréhension écrite, repérage et sélective
11	On mange	A1	La nourriture	Vocabulaire de la nourriture
12	Ils habitent où ?	A1	Les noms des habitants, des villes et des départements	Adjectifs/masculin-féminin, singulier-pluriel Géographie
13	Le musée d'Orsay	A1	La peinture	Les prénoms, les dates
14	Le Père-Lachaise	A1	Les personnalités célèbres	Expression écrite. Écrire les chiffres
15	Les couleurs en français	A1	Les couleurs, les métiers	Expression écrite. Vocabulaire
16	Une entrée italienne	A1	La cuisine	Les articles définis, l'absence d'article
17	Nausicaa	A1	Un parc d'attraction, une ville	L'expression des dates, des horaires, des chiffres
18	Pour aller à	A1	S'orienter en ville, un trajet	Lire un plan dans un site Internet
19	Les Français	A1	La population de la France, les occupations, les loisirs	Repérages d'éléments (chiffres, pourcentages, dates…) Civilisation
20	Un hôtel de luxe à Paris	A1	L'hôtellerie, le luxe, Paris	Les chiffres
21	Se diriger	A1	Les indications de direction	L'expression de la direction
22	Les régions françaises	A1	Géographie, organisation	Civilisation

23	Une prof de français	A1	Le français en Mongolie	Compréhension orale globale puis précise
24	On prend le métro ?	A1	Paris, transport en commun	Savoir s'orienter sur un plan du métro de Paris
25	À l'hôtel	A1	Voyage, logement, chambres d'hôtel	Travail sur l'image : description, couleurs Calculer un prix
26	Visite de la ville de Blois	A2	S'orienter en ville, un trajet	Conjuguer des verbes à l'indicatif présent
27	L'eau	A2	Écologie, santé, hygiène	Compréhension écrite. Les nombres
28	100 ans d'aviation	A2	Les progrès de l'aviation	Compréhension écrite sélective
29	Textos	A2	Textos et sms	Compréhension écrite : comprendre un texto
30	Le pain	A2	Le pain, son histoire, son importance	Dates, chiffres et pourcentages. Horaires
31	L'Argentine	A2	Présenter un pays	Expression écrite : présenter son pays
32	Le camping	A2	Tourisme	Navigation sur un site, manipulation des menus
33	Images de la France	A2	Géographie/la France	Description d'images
34	Les Français et le bonheur	A2	Un sondage sur le bonheur	Chiffres, des pourcentages, des dates
35	L'euro	A2	Histoire de l'argent (français)	Vocabulaire. Adjectifs de nationalité
36	Les jours fériés	A2	Jours fériés et fêtes en France	Civilisation. Dates
37	Les courses hippiques	A2	Les chevaux. les champs de courses	Compréhension écrite précise et globale, la comparaison. Vocabulaire
38	Déménager	A2	Les meubles, les pièces	Vocabulaire
39	Un département : La Vendée	A2	Géographie	Observation d'images et description
40	Chez Clément	A2	La restauration	Vocabulaire. Métiers du restaurant
41	Astérix	A2	Cinéma, bande-annonce et affiche	Compréhension orale
42	Le viaduc de Millau	A2	Architecture, technique, circulation	Vocabulaire. Navigation ciblée dans un site pour trouver une information précise
43	En avant la musique	A2	La fête de la musique	Vocabulaire. Compréhension orale
44	Airbus A 380	A2	L'aviation, l'expression de la démesure	Compréhension écrite précise et expression écrite Chiffres, quantités et mesures
45	Bison fûté	A2	La sécurité – la circulation	Compréhension écrite précise
46	Allez la France !	A2	Le football	Vocabulaire (sports, football)
47	Les outils	A2	Le bricolage	Vocabulaire (outils, bricolage). Compréhension orale
48	Un peu de culture	A2	La France	Vocabulaire : repas, plats, fêtes
49	Un peu d'histoire	A2	Chronologie – Français célèbres	Observation d'images. Les dates et les chiffres
50	Histoire d'Athènes	A2	Architecture, urbanisme	Compréhension orale globale. Observation d'images

1. PREMIÈRE LEÇON

Thème : *Le vocabulaire de l'Internet et des consignes*

SITES : www.rfi.fr/www.tour-eiffel.fr/www.google.fr/www.monum.fr/www.tv5.org
www.lesclesjunior.com/http:// saveurs.sympatico.ca

Objectifs :
Le vocabulaire de l'internet et des consignes
La navigation

✎ LES MOTS EN FRANÇAIS !

Du vocabulaire utile :

1. M	En haut/À gauche		Au centre			En haut/À droite	Ascenseur
2. E							
3. N	Sur la gauche	Au milieu	Au centre	Au milieu	Sur la droite		
4. U							
etc.	En bas/À gauche		Au centre			En bas/À droite	

À droite un « **ascenseur** » permet de monter ou descendre dans la page.
Très souvent à gauche, il y a un « **menu** » c'est-à-dire des **liens** (la flèche de la souris devient une main) qui vous dirigent dans une partie du site.

1. Tapez **www.rfi.fr** dans la barre des adresses. En haut de l'écran, il y a :
Fichier Édition Affichage Aller à Marque-pages Outils
Adresse : http:// *Ici se trouve la barre des adresses où vous tapez les adresses.*

2. Sur la page d'accueil (la première page que vous voyez) à gauche de l'écran, il y a 10 « rubriques ». Combien de mini-sites (de liens) y a-t-il dans chaque rubrique ?

	Rubrique	Combien de liens ?	Vrai	Faux
1	Écouter	4 (quatre)		
2	À l'antenne	3 (trois)		
3	Actualité	7 (sept)		
4	Dialoguer	6 (six)		
5	Langue française	1 (un)		
6	MFI	2 (deux)		
7	Se former	1 (un)		
8	À votre service	3 (trois)		
9	RFI	8 (huit)		
10	Aide	5 (cinq)		

2 | LA TOUR EIFFEL

La tour Eiffel, vous connaissez. Sur l'internet, il y a un site officiel qui lui est consacré : **www.tour-eiffel.fr** est l'adresse du site.
Tapez **www.tour-eiffel.fr** dans la « barre des adresses ». La page que vous voyez s'appelle : la page d'accueil.
Que voyez-vous ?

		Vrai	Faux
1	« Bienvenue » écrit en 7 langues : français, anglais, chinois, portugais, italien, japonais, allemand		
2	Une photo de la tour		
3	La mention : Site officiel		
4	5 rubriques et 25 liens		
5	8 drapeaux		

3 | TESTS

Un peu d'exercice :
1. Tapez les adresses.
2. Suivez les consignes.
3. Notez où vous arrivez et vérifiez que vous arrivez bien au bon endroit (la correction est dans le cahier de corrigés).

	Sites	Démarche	J'arrive à
1	www.rfi.fr	Tapez l'adresse. Sur la page d'accueil, à gauche, dans la liste, cliquez sur la 5e entrée, « Langue française », puis sur « La France à la carte ». Le deuxième mini-site parle de...	
2	www.monum.fr	Cliquez sur : « Entrée » puis sur « Conciergerie » et sur « Voir le mini-site ». Le 3e lien s'appelle...	
3	www.tv5.org	Cliquez sur le 7e lien à gauche, en haut (le premier est : Programmes) puis au milieu, à droite, sur le premier lien sous le chapeau « Dictionnaires ». Vous arrivez sur le lien...	
4	www.lesclesjunior.com	À gauche, si vous cliquez sur le 6° dossier vert, il indique « Archives » et sous l'indication : **Choisis la date du journal que tu veux consulter et clique pour le consulter**, vous tapez la date : 07 Fév 2005 et vous savez combien il y a de chats et de chiens en France...	
5	http://saveurs.sympatico.ca/	Cliquez en haut à gauche sur « A-Z » Produits, puis dans « 504 produits pour rencontrer vos préférences » sur « Abricot » puis, en haut à gauche sur « Fruits ». Que voyez-vous ?	

2. CONJUGUER LES VERBES

Thème : *Les verbes au présent de l'indicatif*

SITE : www.tv5.org

Objectifs :
   Grammaire : le présent de l'indicatif
   Lexique : les verbes de déplacement

 DÉCOUVRIR QUELQUES VERBES

1. Ouvrez le site de TV5 (**www.tv5.org**).
2. Allez en bas, à droite, avec l'ascenseur.
3. Cliquez sur **Le Dictionnaire**.
4. Tapez les verbes dans la zone blanche.
5. Cliquez sur **Définition**.
6. Associez les verbes avec leur définition.

	VERBES		DÉFINITION
1	aller	A	Passer du dedans au dehors, de l'intérieur vers l'extérieur
2	venir	B	Aller du haut vers le bas
3	sortir	C	Aller avec vitesse Participer à une course
4	entrer	D	Aller voir quelqu'un chez lui Aller voir un lieu, un pays, un musée
5	monter	E	Aller à pied, en voiture, à bicyclette… pour son plaisir
6	descendre	F	Être ou se mettre en mouvement Marcher, se diriger
7	courir	G	Avancer avec les pieds Mettre le pied sur quelque chose
8	marcher	H	Passer de l'extérieur à l'intérieur
9	se promener (tapez : promener)	I	Se déplacer de bas en haut Aller dans un lieu plus élevé
10	visiter	J	Se déplacer d'un lieu où on est dans un lieu où est une autre personne

1	2	3	4	5	6	7	8	9	10

5 | CONJUGUER ET VÉRIFIER

Dans le texte suivant, les verbes sont à l'infinitif. Conjuguez-les au présent. Si vous avez un doute, consultez **Le Dictionnaire de la langue française**, tapez votre verbe et cliquez sur **Conjugaisons**.

Le week-end, en général, les Français qui **habiter** .... en ville **aller** .... à la campagne. Ils **pouvoir** .... aussi aller au cinéma, au théâtre, au restaurant. Beaucoup de personnes **faire** .... du sport, ils **marcher** ...., **courir** ...., **jouer** .... au tennis ou au football. D'autres **visiter** .... des musées ou des sites naturels. Certains **aimer** .... « faire » les magasins, ils **entrer** ...., **regarder** ...., **essayer** .... et parfois ils **acheter** .... Une partie des Français **rester** .... à la maison et **regarder** .... la télévision…

6 | CONJUGUER LES VERBES

Pour remplir la grille, il faut conjuguer les verbes… Utilisez **Le Dictionnaire de la langue française de TV5**.

(1re personne du singulier = je/2e personne du singulier = tu/3e personne du singulier = il, elle. 1re personne du pluriel = nous/2e personne du pluriel = vous/3^e personne du pluriel = ils, elles)

Horizontalement

3. 1re personne du pluriel du verbe « manger »
6. 1re et 2^e personne du singulier du verbe « vouloir »
8. 3^e personne du pluriel du verbe « prendre »
10. 3^e personne du pluriel du verbe « savoir »
12. 2^e personne du pluriel du verbe « être »
13. 3^e personne du singulier du verbe « devoir »
14. 1^e personne du pluriel du verbe « finir »

Verticalement

1. 1re et 2e personne du singulier du verbe « comprendre »
2. 3e personne du pluriel du verbe « boire »
4. 2e personne du pluriel du verbe « avoir »
5. 1re et 2e personne du singulier du verbe « pouvoir »
7. 3e personne du pluriel du verbe « écrire »
9. 1re et 2e personne du singulier du verbe « grossir »
11. 1re personne du pluriel du verbe « aller »
13. 1re et 2e personne du singulier du verbe « dormir »

3. UN SITE UTILE POUR LE VOCABULAIRE

Thème : *Les nombres, les vêtements, les meubles*

SITE : www.languageguide.org

Objectifs :
Écrire les nombres
Le vocabulaire des vêtements
Le vocabulaire des meubles et objets de la maison
Découverte d'un site ressource pour le vocabulaire du quotidien

1 | ÉCRIRE LES NOMBRES

1. Allez sur le site **www.languageguide.org**.
2. Cliquez sur : **Français**.
3. Dans la page, en haut dans Groupe I, cliquez sur : **Nombres**.
4. Avec la souris, passez sur les nombres pour découvrir comment ils s'écrivent et ensuite faites l'exercice ci-dessous :

		Écrivez en lettres
1	27	
2	34	
3	67	
4	78	
5	96	
6	184	
7	445	
8	773	
9	1 999	
10	2 006	

8 | LES VÊTEMENTS

1. Allez sur le site **www.languageguide.org**

2. Cliquez sur **Français**.

3. Dans la page, en haut cliquez sur **Les vêtements de femme** et **Les vêtements d'homme**.

4. … Avec la souris, passez sur les vêtements pour découvrir s'ils sont masculins ou féminins et classez-les dans le tableau.

	Les vêtements	Masculin ou féminin ?	Pour les femmes (F)	Pour les hommes (H)
1	cravate			
2	jupe			
3	bas			
4	ceinturon			
5	chemisier			
6	jean			
7	sac à main			
8	robe			
9	chemise			
10	T-shirt			

9 | LES OBJETS ET LES MEUBLES

1. Allez sur le site **www.languageguide.org**

2. Cliquez sur **Français**.

3. Dans la page, en haut cliquez dans **La maison** sur : • la cuisine • la salle de bains • le salon • la salle à manger • la chambre à coucher.

4. Classez les objets et les meubles dans la bonne pièce (dans la cuisine ? dans la salle de bains ? dans le salon ? dans la salle à manger ? dans la chambre ?) et dites s'ils sont masculin ou féminin.

		Masculin ou Féminin	La cuisine	La salle de bains	Le salon	La salle à manger	La chambre
1	carreaux						
2	tapis						
3	fauteuil						
4	bouilloire						
5	lit						
6	balance						

		Masculin ou Féminin	La cuisine	La salle de bains	Le salon	La salle à manger	La chambre
7	table basse						
8	réveil						
9	verre de vin						
10	baignoire						
11	lampe						
12	grille-pain						
13	table						
14	éponge						
15	cendrier						
16	douche						
17	rideaux						
18	tasse						
19	évier						
20	chope						
21	store vénitien						
22	canapé						
23	réfrigérateur						
24	serviette						
25	tire-bouchon						

4. LES CHANTEURS ET LES CHANTEUSES

Thème : *Biographies*

SITE : www.rfimusique.com

Objectifs :
Compréhension écrite sélective
Expression écrite :
Les dates, les lieux, les chiffres

10 | LE PASSEPORT

1. Allez sur le site : **www.rfimusique.com**
2. À gauche, cherchez **Entrée des artistes**, puis **Passeport**.
3. Cliquez sur A et regardez le **Passeport** du premier chanteur : Adamo.
4. Complétez la grille.
5. Allez ensuite sur les lettres **B, C, D, E, F, G, H, J, K** et trouvez les informations pour les autres chanteurs.

Nom d'artiste	Prénom	Nom et prénom réels	Date de naissance	Lieu de naissance	Nationalité	Date de mort
Adamo	Salvatore				Belge	
Bruel						
Cabrel				Agen		
Daho						
Eicher						
Farmer						
Gainsbourg		Lucien Ginzburg				
Halliday						
Juliette						
Kaas						

QUI EST QUI ?

1. Lisez le texte ci-dessous.
2. Allez sur le site **www.rfimusique.com**
3. Dans **L'entrée des artistes**, à gauche, au milieu, cliquez sur **Biographies** puis sur **Passeport** et cherchez les informations sur les chanteurs en gras dans le texte.
4. Répondez aux questions du tableau.

« En 2004, le chanteur **Michel Sardou** est le chanteur français qui a gagné le plus d'argent : 3,7 millions d'euros. Ensuite, on trouve **Francis Cabrel** (3,4 millions d'euros) puis **Charles Aznavour** (3,2 millions d'euros), **Corneille** (3,1 millions d'euros), **Pascal Obispo** (3 millions d'euros), **Calogero** (2,9 millions d'euros), **Renaud** (2,8 millions d'euros), le chanteur **M** (2,2 millions d'euros), **Yannick Noah** (2,1 millions d'euros) et **Lorie** (1,8 millions d'euros). »

(D'après un article du Figaro Magazine *de janvier 2005)*

	Des questions sur leur vie		Les chanteurs
1	Qui s'appelle en réalité Mathieu Chédid ?	A	Renaud
2	Qui est né le 18 mai 1960 à Sedan, en France, et a la double nationalité camerounaise et française ?	B	Calogero
3	Qui est né le 11 mai 1952 à Paris ?	C	Michel Sardou
4	Qui est né le 8 janvier 1965 à Bergerac en France ?	D	Lorie
5	Qui est né le 30 juillet 1971 à Échirolles en France ?	E	Corneille
6	Qui est né en 1924 ?	F	Francis Cabrel
7	Qui est né le 26 janvier 1947 à Paris ?	G	M
8	Quelle chanteuse n'est pas dans les « Passeports » de RFI ?	H	Charles Aznavour
9	Qui est né à Agen ?	I	Pascal Obispo
10	Qui est né à Fribourg en Allemagne et a la nationalité canadienne ?	J	Yannick Noah

1	2	3	4	5	6	7	8	9	10
					H				

12 **ÉCRIRE UN PEU...**

Avec les informations de la grille, écrivez la vie des chanteurs et des chanteuses en suivant les modèles.

Salvatore Adamo est né le 1er novembre 1943 à Comiso en Italie. Il est belge.

Patrick Bruel (de son vrai nom : Patrick Benguigui) est né le 14 mai 1959 à Tlemcen en Algérie. Il est français.

1. Cabrel : ....
....
....

2. Daho : ....
....
....

3. Eicher ....
....
....

4. Farmer : ....
....
....

5. Gainsbourg : ....
....
....

6. Halliday : ....
....
....

7. Juliette : ....
....
....

8. Kaas : ....
....
....

5. LES PHOTOS DE YANN ARTHUS-BERTRAND

Thème : *Paysages, couleurs et personnes*

SITES : www.yannarthusbertrand.com
et www.languageguide.org/im/colors/fr

Objectifs :
Observation d'images
Les couleurs
Les métiers

 PAYSAGES DE FRANCE

1. Allez sur le site **www.yannarthusbertrand.com**
2. Cliquez sur la page du milieu (2) **www.yannarthusbertrand2.org**
3. En haut, à gauche, choisissez **France**.
4. Ouvrez les 6 premières photos et répondez aux questions.

1. Combien il y a de photos de l'île de la Réunion ?

....

2. Combien il y a de photos de châteaux ?

....

3. Combien de fois voit-on la mer ?

....

4. Combien de fois voit-on la campagne ?

....

5. Combien de fois voit-on la montagne ?

....

6. Quel château voit-on au coucher du soleil ?

....

7. De quel château voit-on les jardins ?

....

8. Sur quelle photo voit-on un volcan ?

....

9. Sur quelle photo voit-on du sable et des bateaux ?

....

10. Sur quelle photo voit-on un avion ?

....

14 | LES COULEURS

1. Allez d'abord sur le site **www.languageguide.org/im/colors/fr** pour découvrir le nom des couleurs en français.
2. Allez ensuite sur le site **www.yannarthusbertrand.com**
3. Cliquez sur la page du milieu (2) **www.yannarthusbertrand.com/yann2**
4. Cliquez sur la grande photo **La terre vue du ciel**, puis à gauche, choisissez **France**.
5. Ouvrez les 6 premières photos et remplissez le tableau.

	Les couleurs	Sur quelle(s) photos ?
1	Le vert	
2	Le rouge	
3	L'orange	
4	Le bleu	
5	Le jaune	
6	L'orange et le vert	
7	Le rouge, le noir, le marron, le blanc	
8	Le jaune, le bleu, le vert	
9	L'orange et le noir	
10	Le vert et le bleu	

15 | LES FRANÇAIS VUS PAR YANN ARTHUS-BERTRAND

1. Allez sur le site **www.yannarthusbertrand.com**
2. Cliquez sur la page du milieu (2) : **www.yannarthusbertrand.com/yann2**
3. En bas à droite cliquez sur **Les Français**
4. Ouvrez et regardez les 12 premières photos et répondez aux questions.

(Il y a 5 Français célèbres – 4 sportifs, Laura Flessel (escrime), Brahim Asloum (boxe), Robert Pirès (football), Serge Betsen (rugby) et un couturier, Jean-Paul Gaultier. Les autres sont anonymes.)

1. Comment s'appelle la petite fille dans les bras de Robert Pirès ?

....

2. Quelle est la couleur de la chemise de la petite fille sur les épaules de Serge Betsen ?

....

3. Quel est le métier de Sophie Moreau ?

....

4. Que tiennent dans la main Laura Flessel-Colovic et Louis ?

....

5. De quelle origine est Atika Bouami et quelle est sa nationalité ?

....

6. Qu'y a-t-il sur le plateau d'un des garçons de Bernard Barret, bistrotier ?

....

7. Quels sont les prénoms des chasseurs ?

....

8. Quel est le métier de Chantal et Pierre Oger ?

....

9. Quelle est la couleur de la blouse des caissières ?

....

10. Quelle est la profession de M. Emmanuel Laplace et Mme Alexandra Mellef ?

....

11. Quelle est la couleur des cheveux de Brahim Asloum ?

....

12. Quelle est la profession de celui qui ne porte pas de vêtement mais seulement un drap de couleur verte ?

....

6. LA FAMILLE DE ROMAIN

Thème : *La famille*

SITES : http://lexiquefle.free.fr/famille0.swf et www.tv5.org

Objectifs :
Vocabulaire : les relations familiales
Consultation d'un dictionnaire en ligne

 LES PRÉNOMS

1. Allez sur le site **http://lexiquefle.free.fr/famille0.swf**
2. Ouvrez la page **Vocabulaire de la famille 1**.
3. Vous voyez que le garçon s'appelle Romain. Mais comment s'appellent les autres membres de la famille ? Voici trois indices :
• Roger et Yvette ont deux enfants : un garçon, François et une fille, Michèle.
• Michèle et André ont deux fils : Mathieu et Mathias.
• Jeanne est la femme de François.
4. Écrivez les noms dans la grille. Puis, de haut en bas, dans la colonne en gris, vous allez découvrir le prénom de la sœur de Romain.

1 Un cousin de Romain s'appelle…

2 L'autre cousin de Romain s'appelle ...

3 La mère de Romain s'appelle ...

4 Le prénom de l'oncle de Romain est ...

5 Le prénom du grand-père de Romain est ...

6 Romain a une tante : ...

7 Son père porte le prénom de ...

8 La grand-mère de Romain est nommée ...

Et donc, la sœur de Romain s'appelle

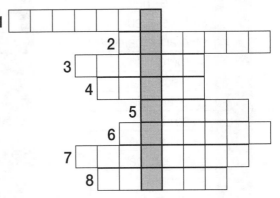

 LES RELATIONS FAMILIALES

1. Allez sur le site **http://lexiquefle.free.fr/famille0.swf**
2. Regardez **le vocabulaire de la famille 1 – 2 et 3**
3. Lisez bien et complétez les phrases du texte.
4. Utilisez les mots ci-dessous (attention : quelques mots sont utilisés deux fois) :
**beau-père | belle-fille | belle-mère | belle-sœur | cousin | femme | fille | fils | frère | gendre |
grand-mère | grand-père | mari | mère | neveu | nièce | oncle | père | petite-fille | petit-fils |**

sœur | tante ... s'appelle

Roger est le (1) .... de Sandrine, Romain, Mathieu et Mathias. Il est le (2) .... de François et de Michèle. Il est le (3) .... de Jeanne et d'André. Il est le (4) .... d'Yvette. Yvette est la (5) .... de Sandrine, Romain, Mathieu et Mathias. Elle est la (6) .... de François et de Michèle. Elle est la (7) .... de Jeanne et d'André. Elle est la (8) .... de Roger.

Jeanne est la (9) .... de Roger et Yvette. Elle est la (10) .... de Mathieu et de Mathias.

Mathieu est le (11) .... de Sandrine. Il est le (12) .... de Mathieu. Il est le (13) .... d'André. Il est le (14) .... de François. François est donc son (15) .... Il est le (16) .... de Roger et Yvette.

Sandrine est la (17) .... de François et Jeanne et la (18) .... de Roger et Yvette. Elle est la (19) .... de Romain. Elle est la nièce de Michèle.

Michèle et François sont (20) .... et (21) .... André et Jeanne sont (22)

18 | LES DÉFINITIONS

1. Ouvrez le site de TV5 : **www.tv5.org**
2. Cliquez sur **Langue française**.
3. Ouvrez **Le Dictionnaire de la langue française** et tapez les mots de la colonne de gauche.
4. Cliquez sur **Définitions**.
5. Associez chaque mot à sa définition et complétez la grille.

1	sa belle-fille		A	la femme de son fils
2	sa belle-mère		B	la fille de son enfant
3	sa belle-sœur		C	la fille de son frère ou de sa sœur
4	sa grand-mère		D	la fille qui a les mêmes parents
5	sa mère		E	la mère de son mari
6	sa nièce		F	la mère de son père ou de sa mère
7	sa petite-fille		G	la sœur de sa femme ou de son mari
8	sa sœur		H	la sœur de son père ou de sa mère
9	sa tante		I	le fils de son enfant
10	son beau-père		J	le fils de son frère ou de sa sœur
11	son cousin		K	le fils de son oncle ou de sa tante
12	son frère		L	le frère de son père ou de sa mère
13	son gendre		M	le garçon qui a les mêmes parents
14	son grand-père		N	le mari de sa fille
15	son neveu		O	le père de son mari
16	son oncle		P	le père de son père ou de sa mère
17	son père		Q	sa maman
18	son petit-fils		R	son papa

1	2	3	4	5	6	7	8	9	10	11	12	13	14	15	16	17	18

7. UNE CHAMBRE

Thème : *Les meubles, la localisation*

S<small>ITE</small> : http://thibaud.saintin.free.fr/ecrit/

Objectifs :
Le vocabulaire de la maison
Les localisateurs

---

19 | **ASSOCIEZ LE DESSIN, LE NOM ET SA DÉFINITION**
Associez le dessin avec son nom et sa définition. Si vous avez un problème, consultez **le dictionnaire de TV5**.

	Le dessin		Le nom		La définition
1		11	une porte	21	Elle sert à imprimer quand on travaille avec l'ordinateur.
2		12	un lit	22	On l'utilise pour travailler au bureau, à la maison.
3		13	des meubles	24	Elle permet de voir à l'extérieur de la maison.
4		14	des rideaux	24	Il permet d'écouter de la musique
5		15	un tapis	25	Elle permet d'entrer ou de sortir. Elle est en bois, en verre…
6		16	un haut-parleur	26	On le met sur le sol ou sur le mur.
7		17	une imprimante	27	On les met autour de la fenêtre pour se protéger de la lumière.
8		18	une fenêtre	28	Un siège pour s'asseoir à plusieurs. On peut aussi y dormir.
9		19	un ordinateur	29	Ils servent à ranger les vêtements, les livres, travailler, manger. Ils sont souvent en bois.
10		20	un canapé	30	Il permet de dormir.

1	2	3	4	5	6	7	8	9	10

20 UNE CHAMBRE

Complétez le texte avec les mots dans le tableau. Regardez bien les articles !

1. Ensuite allez vérifier sur le site : **http://thibaud.saintin.free.fr/ecrit/**
2. Cliquez sur **Textes** (à droite, verticalement) puis sur **1998-1999**.
3. Choisissez ensuite **octobre 1998, dans 2 classes de 4ᵉ** et le texte **d'Anthony G.** **Chez ma grand-mère**.

l'armoire	une lampe	la fenêtre	un canapé	un miroir	le lit	un tapis	un rideau	la porte	la porte

Lorsqu'on ouvre **la** (1) ...., **le** (2) .... est tout de suite à droite, **l'**(3) ....
est à gauche du lit, **la** (4) .... à droite. La table de chevet est à droite de l'armoire. Un
(5) .... est étendu devant l'armoire, devant la fenêtre **un** (6) .... orange cache
le jour. Une poutre traverse la chambre, le papier est parsemé de fleurs. Sur la table de chevet
il y a **une** (7) .... marron, un réveil rouge. Juste à droite du lit, il y a **un** (8) ....
dessus, un drap assorti au papier. Au milieu de l'armoire, **un** (9) .... est disposé. Sur le
lit, une couette nous protège et **la** (10) .... s'était fermée toute seule.

21 OÙ EST-CE ?

Complétez la grille avec les localisateurs.

1. Ensuite allez vérifier sur le site : **http://thibaud.saintin.free.fr/ecrit/**
2. Cliquer sur **Textes** (à droite, verticalement) puis sur **1998-1999**.
3. Choisir ensuite **octobre 1998, dans 2 classes de 4ᵉ** et le texte **d'Anthony G. : Chez ma tante**.

À droite	à côté	En face du	à droite du	à droite	À gauche de	au fond de	sur	sur les côtés	et derrière

1	Lorsqu'on ouvre la porte, le lit est	la chambre
2	juste	
3	un meuble très haut	lit
4		la porte
5	la fenêtre est	lit
6		la porte
7	un ordinateur	une table
8	une imprimante	
9	deux haut-parleurs	
10	la table à repasser	

8. LE MARCHÉ

Thème : *Fruits et légumes*

Site : http://saveurs.sympatico.ca/

Objectifs :
Compréhension écrite sélective et expression écrite
Observation d'images
Masculin-Féminin
Les couleurs

---

22 | **LES FRUITS**

1. Allez sur le site **http://saveurs.sympatico.ca/**

2. Cliquez sur **A Z Produits**.

3. Puis sur **Abricot** et enfin, en haut à gauche, sur **Fruits**.

4. Cliquez sur les noms des fruits, regardez les dessins et classez les fruits selon leur couleur (plus ou moins exacte) et leur genre, masculin ou féminin.

5. Si vous avez un problème de vocabulaire, consultez le dictionnaire de TV5 (voir activité 4, fiche 2).

	Rouge	Vert Vert jaune	Jaune	Bleu noir	Marron	Orange	Violet
M A S C U L I N	Cassis	Chadec	Citron				
F É M I N I N				Myrtille	Châtaigne	Clémentine	

23 | LES LÉGUMES

1. Allez sur le site **http://saveurs.sympatico.ca/**
2. Cliquez sur **A Z Produits**.
3. Puis sur **Arachide** enfin en haut à gauche sur **Légume**. Descendez un peu et trouvez **Les légumes à la loupe**. Cliquez sur les noms des légumes de la grille.

Quelle est leur couleur, quel est leur genre et leur origine ? Soit vous avez l'information directement soit vous devez cliquer sur **Historique**.

		Couleur	M ou F	Origine
1	Artichaut			
2	Asperge			
3	Aubergine			
4	Avocat			
5	Betterave			
6	Carotte			
7	Chou			
8	Chou de Bruxelles			
9	Ciboule			
10	Concombre			
11	Endive (Chicon)			
12	Haricot vert			
13	Haricot sec			
14	Haricot rouge			
15	Lentille			
16	Laitue Chêne			
17	Maïs			
18	Poireau			
19	Pomme de terre			
20	Tomate			

DÉCRIRE UN FRUIT OU UN LÉGUME

Avec les informations que vous avez, décrivez ces fruits et ces légumes en imitant le modèle. Attention aux articles, au masculin et au féminin.

	Fruit ou Légume	Description
0		C'est une pomme de terre. La couleur de sa peau est marron. Elle est originaire du Pérou. C'est un légume.
1		
2		
3		
4		
5		
6		

9. LES MÉTIERS

Thème : *Les noms de profession*

SITES : www.tv5.org : Les cités du monde et Le dictionnaire de la langue française

Objectifs :
Compréhension écrite sélective
Vocabulaire
Apprendre à définir

25 QUI TRAVAILLE OÙ ?

1. Allez sur le site **www.tv5.org**
2. Cliquez sur **enseignants** (en haut à gauche).
3. Cliquez au centre sur **L'aventure pédagogique des Cités du monde**.
4. Ouvrez ensuite les sites de **Bucarest** et de **Québec**. Vous devez ouvrir le mini-site **Le site de la ville** (en haut à gauche).
5. Cliquer sur : **Les gens**, glissez la flèche de la souris sur les photos et complétez la grille.

	NOM	BUCAREST	QUÉBEC	PROFESSION
1	Angela Cristea			
2	Clément Saint-Laurent			
3	Johnny Radacanu			
4	Luc Mailloux			
5	Claude Poirier			
6	Carmen Tuta et Iléana Dascalu			
7	Mario Dufour			
8	Anna, Ales, Dana et les autres			
9	Paule-Andrée Cassidy			
10	Roxana Théodorescu			
11	Solange Gilles			
12	Gabriel Sirbu			

26 | QUELLE PROFESSION DANS QUELLE VILLE ?

1. Faites correspondre la profession avec sa définition (vous avez le **Dictionnaire de la langue française** sur le site de TV5, voir la fiche : Se diriger).
2. Ouvrez ensuite les sites de **Bruxelles** et de **Saint-Pétersbourg**. Vous devez ouvrir le mini-site : **le site de la ville** (en haut à gauche).
3. Cliquez sur **Les gens**, glissez la flèche de la souris sur les photos et dites dans quelle ville ces personnes travaillent.

	PROFESSION		DÉFINITION	VILLE
1	informaticien	A	Personne qui étudie la philosophie, qui s'applique à rechercher les principes et les causes	
2	chorégraphe	B	Personne qui travaille dans une mairie	
3	philosophe	C	Personne qui enseigne l'architecture	
4	conférencière	D	Montreur de marionnettes (petits personnages en bois qu'on fait bouger avec des fils)	
5	marionnettiste	E	Personne qui travaille dans un domaine particulier, qui fait des recherches théoriques	
6	architecte	F	Personne qui s'occupe d'informatique, spécialiste en informatique	
7	photographe	G	Personne qui s'occupe d'un restaurant	
8	restauratrice	H	Personne qui gagne sa vie en chantant	
9	conseillère municipale	I	Personne qui est un / une spécialiste d'un sujet et fait des exposés, des conférences	
10	chanteuse populaire	J	Personne qui est un spécialiste de la construction, des maisons, des immeubles	
11	professeur d'architecture	K	Personne qui gagne sa vie en prenant des photos	
12	chercheur en chimie	L	Personne qui invente des ballets	

1	2	3	4	5	6	7	8	9	10	11	12

27 **LES MÉTIERS**

Un métier que vous avez vu dans une des 4 villes…

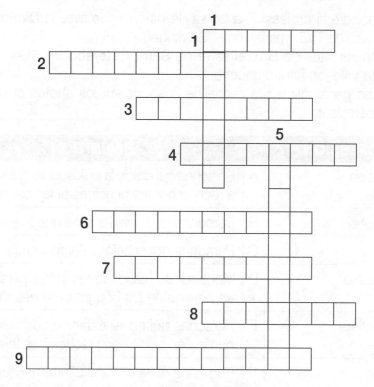

Horizontalement	Verticalement
1. Dans la religion catholique, ministre du culte.	**1.** Artiste qui peint des tableaux.
2. Personne qui réalise des films.	**5.** Spécialiste de la construction.
3. Musicien (classique ou de jazz) qui joue du piano.	
4. Spécialiste du fromage.	
6. Spécialiste de la pensée, de la sagesse.	
7. Spécialiste des langues.	
8. Commerçant qui vend des fruits, des légumes, du sucre…	
9. Spécialiste de l'informatique.	

10. BIOGRAPHIES

Thème : *La vie de quelques écrivains français*

Sites : www.editions-verdier.fr
et http://perso.wanadoo.fr/redman/lagrasse.html

Objectifs :
Compréhension écrite repérage et sélective
Expression écrite : présenter un écrivain

28 | LA MAISON D'ÉDITION

1. Allez sur le site des éditions Verdier : **www.editions-verdier.fr**
2. Cliquez en bas à gauche sur **Informations générales**.
3. Observez et répondez aux questions sur la maison d'édition.
4. Pensez au **Dictionnaire de la langue française** de TV5. **Si vous avez un problème de vocabulaire, consultez le Dictionnaire de TV5 (voir activité 4, fiche 2).**

1. Dans quelle ville se trouve la maison d'édition ?
....

2. Pour la situer sur la carte, cliquez sur : **http://perso.wanadoo.fr/redman/lagrasse.html** puis sur **Carte de la région**, en haut. Près de quelle mer est située cette ville ?
....

3. Quel est le numéro de téléphone des Éditions Verdier ?
....

4. Quelle est l'adresse de la permanence à Paris ?
....

5. Quel est le numéro de téléphone à Paris ?
....

6. Dans quels pays les livres sont diffusés (vendus) ?
....

7. La maison d'édition publie des livres dans 5 domaines. Lesquels ?
....

8. Est-ce qu'elle publie seulement des livres de littérature française ?
....

29 | **QUI EST QUOI, QUI FAIT QUOI ?**

1. Cliquez sur **Index des auteurs...**, dans le menu à gauche de la page d'accueil.
2. Lisez les biographies de Pierre Bergounioux et Françoise Asso (première page) et celles
d'Olivier Rolin, Dominique Sampiero, Jacques Réda (en haut, partie Q-R-S-T).
3. Faites correspondre les noms et les actions : qui est quoi, qui fait quoi ?

		Pierre Bergounioux	Olivier Rolin	Dominique Sampiero	Jacques Réda	Françoise Asso
1	Né à Lunéville en 1929					
2	Né à Brive-La-Gaillarde en 1949					
3	Il enseigne le français en région parisienne.					
4	Il est né en 1947.					
5	Elle est née à Nice en 1950.					
6	Il est instituteur et directeur d'école.					
7	Il a écrit des romans, des carnets de voyage, des récits.					
8	Il est considéré comme l'un des meilleurs poètes français d'aujourd'hui.					
9	Il est né dans le nord de la France en 1954.					
10	Il anime des ateliers d'écriture.					
11	En 2002, il a reçu le Grand Prix de littérature de la SGDL (Société des Gens de Lettres).					
12	Marié et père de famille, il vit dans la vallée de Chevreuse.					
13	C'est un ancien élève de l'École Normale supérieure.					
14	Il est membre de la commission Poésie au Centre national du Livre depuis juin 1996.					
15	Il est également l'auteur de récits en prose et grand amateur de musique, spécialement de jazz.					

30 **MA VIE**

Changez les phrases en commençant par : Je... *Par exemple :*
Elle est née à Nice en 1950 → Je suis née à Nice en 1950.

1. Il est né à Lunéville en 1924.

....

2. Né à Brive-La-Gaillarde en 1949.

....

3. Il enseigne le français en région parisienne.

....

4. Il est professeur des écoles et directeur.

....

5. Il est considéré comme l'un des meilleurs poètes français d'aujourd'hui.

....

6. Il anime des ateliers d'écriture.

....

7. Il est marié, père de famille et il vit dans la vallée de Chevreuse.

....

8. C'est un ancien élève de l'École Normale supérieure.

....

9. Il est né dans le nord de la France en 1954.

....

10. Il est également l'auteur de récits en prose et grand amateur de musique, spécialement de jazz.

....

11. ON MANGE

Thème : *La nourriture*

SITES : www.imagiers.net et www.tv5.org

Objectifs :
Vocabulaire de la nourriture

 LES PRODUITS ALIMENTAIRES (1)

1. Allez sur le site **www.imagiers.net**

2. Dans la colonne de gauche, trouvez la rubrique **Imagiers (pc)**.

3. Ouvrez ou téléchargez le document **L'alimentation - volume 1**.

4. Regardez les 5 pages.

5. Notez les noms des produits alimentaires dans la bonne colonne. Les aliments qui ne vont pas dans les 6 premières colonnes sont classés dans la colonne « autres ». **Si vous avez un problème de vocabulaire, consultez le Dictionnaire de TV5 (voir activité 4, fiche 2).**

- Allez sur le site **www.tv5.org**
- Cliquez sur **Langue française** (en haut à gauche)
- Ouvrez **Le dictionnaire multimédia** et tapez le mot dans la zone blanche puis cliquez sur **Définitions**

Repas/plat composé	Légume/ fruit	Viande	Fromage	Pain/ pâtes	Poisson	autres

1. Allez sur le site **www.imagiers.net**
2. Dans la colonne gauche, trouvez la rubrique **Imagiers (pc)**.
3. Ouvrez ou téléchargez le document **L'alimentation - volume 2**.
4. Regardez les 5 pages.
5. Notez les noms des produits alimentaires dans la bonne colonne.
6. Pour vérifier l'orthographe, **consultez le dictionnaire de TV5 (voir activité 4, fiche 2)**.
   - Allez sur le site **www.tv5.org**
   - Cliquez sur **Langue française** (en haut à gauche)
   - Ouvrez **Le dictionnaire multimédia** et écrivez le mot dans la zone blanche puis cliquez sur **Définitions**

Repas/plat composé	Légume/ fruit	Viande	Fromage	Pain/ pâtes	Poisson

1. Dans la première colonne, vous trouvez des anagrammes : toutes les lettres des mots à trouver, mais pas dans le bon ordre.
2. Dans la deuxième colonne, vous avez la définition trouvée dans le dictionnaire de TV5.
3. À vous d'écrire dans la troisième colonne le mot : les deux premières lettres sont données.

	Anagrammes	Définition	Qu'est-ce que c'est ?
1	boonbn	Sucrerie, friandise	BO...
2	siscaeus	Boyau de porc rempli de viande hachée et assaisonnée	SA...
3	ncsssouia	Sorte de grosse saucisse crue ou cuite	SA...
4	etapsghti	Pâte alimentaire d'une forme ronde, fine et allongée	SP...
5	cqhieu	Tarte au lard	QU...
6	zpiaz	Tarte d'origine italienne, garnie de tomates, d'olives et d'autres ingrédients	PI...
7	vienosreinie	Produits de boulangerie comme les croissants, les brioches, etc.	VI...
8	ivarlio	Carré de pâte farci de viande hachée	RA...
9	hinoocrcn	Petit concombre que l'on conserve dans du vinaigre	CO...
10	tcemrbeam	Sorte de fromage fait avec du lait de vache	CA...
11	htuceaacè	Fruit de l'arachide	CA...
12	tetuegba	Pain long	BA...
13	rryueèg	Fromage cuit, au lait de vache, d'origine suisse	GR...

12. ILS HABITENT OÙ ?

Thème : *France – villes – départements – habitants*

SITE : www.peoplefrom.com

Objectifs :
Vocabulaire : les habitants et leurs villes (masculin / féminin / singulier / pluriel)
Les départements

 LES VILLES ET LEURS HABITANTS

1. Allez sur le site **www.peoplefrom.com**
2. Cliquez sur le rond [le bouton radio] **commune** puis cliquez sur OK.
3. Dans la case, tapez le nom de la ville.
Pour chaque ville, faites comme dans l'exemple : notez le nom des habitants et habitantes.

Ville	Les hommes	Les femmes
Paris	*Parisiens*	*Parisiennes*
1. Amiens		
2. Brest		
3. Calais		
4. Grenoble		
5. Lille		
6. Lyon		
7. Marseille		
8. Mulhouse		
9. Nantes		
10. Orléans		
11. Perpignan		
12. Rennes		
13. Rouen		
14. Strasbourg		
15. Toulouse		

1. Allez sur le site **www.peoplefrom.com**

2. Dans la case, tapez le nom des habitants.

3. Cliquez sur le rond [le bouton radio] « Gentilé » (gentilé = le nom des habitants d'une ville d'une région ou d'un pays). Cliquez sur OK.

Pour chaque phrase, faites comme dans l'exemple : notez le nom de la ville. **(Attention aux phrases 2 et 11 : à + le = au)**

Les Vichyssois et les Vichyssoises habitent à Vichy.

1. Les Bisontins et les Bisontines habitent à ....

2. Les Manceaux et les Mancelles habitent à ....

3. Les Bordelais et les Bordelaises habitent à ....

4. Les Blésois et les Blésoises habitent à ....

5. Les Clermontois et les Clermontoises habitent à ....

6. Les Palois et les Paloises habitent à ....

7. Les Tourangeaux et les Tourangelles habitent à ....

8. Les Niçois et les Niçoises habitent à ....

9. Les Pictaviens et les Pictaviennes habitent à ....

10. Les Montpelliérains et les Montpelliéraines habitent à ....

11. Les Havrais et les Havraises habitent à ....

1. Allez sur le site **www.peoplefrom.com**

2. Cliquez sur un département de la carte de France.

3. Descendez l'ascenseur pour voir la fin de la page.

4. Vous voyez le texte « Gentilés des autres départements français », avec une liste des départements. Tapez le département recherché.

5. Le nom des habitants est affiché en haut de la page.

6. Remplissez la grille de mots croisés. Mais, faites attention : il y a des mots au masculin ou au féminin, au singulier ou au pluriel !

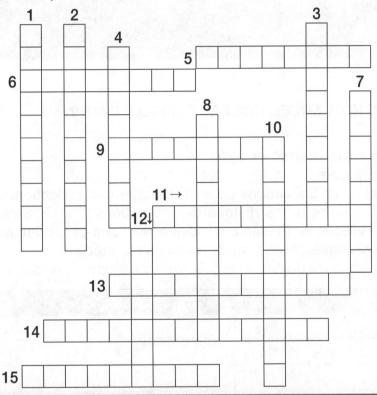

Horizontalement	Verticalement
5. Les hommes qui habitent le département de l'Yonne	**1.** Une femme qui habite le département de la Loire
6. Une femme qui habite le département du Gard	**2.** Un homme qui habite le département de l'Hérault
9. Les hommes qui habitent le département de l'Indre	**3.** Les hommes qui habitent le département du Cantal
11. Les femmes qui habitent le département de la Manche	**4.** Un homme qui habite le département du Doubs
13. Les femmes qui habitent le département des Ardennes	**7.** Les femmes qui habitent le département du Lot
14. Une femme qui habite le département du Calvados	**8.** Les femmes qui habitent le département de la Gironde
15. Un homme qui habite le département du Jura	**10.** Une femme qui habite le département de la Savoie
	12. Un homme qui habite le département du Tarn

13. LE MUSÉE D'ORSAY

Thème : *La peinture*

SITE : www.musee-orsay.fr

Objectifs :
Compréhension écrite de repérage et précise
Les prénoms
Les dates

 QUEL PRÉNOM ? QUEL TABLEAU ? QUELLE DATE ?

1. Allez sur le site **www.musee-orsay.fr**
2. Cliquez sur **Français**.
3. Cliquez ensuite sur **Collections** puis sur **Histoire des collections et présentation pa technique** et ouvrez les pages **Histoire des collections** (1 et 2), **Suite de la présentatior générale des collections, Présentation des collections par technique, Peintures et pas tels au rez-de-chaussée, niveau supérieur et niveau médian.**
4. Regardez les tableaux à gauche et associez le peintre avec son prénom, titre du tableau, sa date.

	Peintre	Prénom	Titre du tableau	Date du tableau
1	Manet			
2	Monet			
3	Moreau			
4	Mc Neil Whistler			
5	Ingres			
6	Chassériau			
7	Millet			
8	Manet			
9	Degas			
10	Toulouse-Lautrec			
11	Gauguin			
12	Signac			
13	Munch			
14	Bonnard			
15	Redon			

38 | HISTOIRE DES COLLECTIONS

1. Allez sur le site **www.musee-orsay.fr**
2. Cliquez sur **Français**.
3. Cliquez sur **Histoire des collections** : lisez le texte (1) et complétez le texte ci-dessous.

Histoire des collections (1)

Le musée d'Orsay est un musée (1) .... ouvert au public en (2) .... 1986 pour (3) ...., dans toute sa diversité, la création (4) .... du monde (5) .... de 1848 à 1914.

Il a été constitué de collections nationales provenant essentiellement de (6) .... établissements : le musée du (7) .... pour les (8) .... d'artistes (9) .... à partir de 1820, ou émergeant dans le monde de (10) l' .... avec la seconde République ; le musée du Jeu de Paume consacré depuis 1947 à (11) l' .... ; enfin le musée national d'Art (12) .... qui, lorsqu'il s'est installé en (13) .... au Centre Georges-(14) ...., n'a conservé que les œuvres d'artistes nés (15) .... 1870.

39 | ASPECTS PRATIQUES

1. Allez sur le site **www.musee-orsay.fr**
2. Cliquez sur **Français**.
3. Cliquez sur **Accès et tarifs** et sur **La boutique**, lisez les informations et dites si ces affirmations sont vraies ou fausses.

		Vrai	Faux
1	Il y a quatre entrées possibles.		
2	Les bus 24, 63, 68, 69, 73, 83, 84, 94 permettent d'aller au musée.		
3	Il n'y a pas de station de métro pour y aller.		
4	Il y a une station du RER qui porte le nom du musée d'Orsay sur la ligne C.		
5	Le musée est fermé le mardi.		
6	Le dimanche, il ferme plus tard.		
7	La plupart du temps, il est ouvert de 10 h à 20 h.		
8	C'est gratuit le premier dimanche de chaque mois.		
9	Il se trouve 52 rue de Lille.		
10	Il y a une boutique où on peut acheter des DVD et des cédéroms, des catalogues, des guides, des bijoux, des affiches…		

14. LE PÈRE-LACHAISE

Thème : *Les personnalités célèbres*

Site : www.pere-lachaise.com

Objectifs :
  Expression écrite : présenter une personne célèbre
  Écrire les chiffres, la date, la profession, les prénoms

 QUI EST-CE ?

1. Allez sur le site **www.pere-lachaise.com**
2. Cliquez sur **Entrer** et visitez le cimetière en cliquant sur les flèches rouges.
3. Tapez ensuite le nom des personnes du tableau dans la zone **Rechercher** (Apollinaire par exemple) puis cliquez sur OK.
4. Cliquez sur la croix rouge qui clignote à droite et complétez le tableau.

	Nom	Prénom	Date de naissance	Date de mort	Profession
0	Apollinaire	Guillaume	1880	1918	écrivain
1	Asturias				
2	Balzac				
3	Champollion				
4	Callas				
5	Desproges				
6	Éluard			1952	
7	Faure	François Félix			
8	Grappelli				
9	Haussmann		1809		
10	Ingres				peintre

Maintenant, écrivez, pour chaque personne, une courte présentation. *Exemple :* Il s'appelle Guillaume Apollinaire. Il est né en 1880. Il est mort en 1918. Il est écrivain.

1. Il s'appelle ....

2. Il s'appelle Honoré de Balzac ....

3. Il s'appelle ....

4. Elle s'appelle ....

5. Il s'appelle ....

6. Il s'appelle ....

7. Il s'appelle ....

8. Il s'appelle ....

9. Il s'appelle ....

10. Il s'appelle ....

41 ÉCRIRE LES CHIFFRES

Cherchez la ou les dates qui manquent et écrivez-les en lettres.

1. Gustave CAILLEBOTE, peintre, est né en **mille huit cent quarante-huit** et il est mort en
....

2. Édith PIAF, chanteuse, est née en **mille neuf cent quinze** et elle est morte en ....
....

3. Léon JOUHAUX, syndicaliste, prix Nobel, est né en **mille huit cent soixante-dix-neuf** et il
est mort en ....

4. François KELLERMANN, maréchal, est né en ....
et il est mort en ....

5. Jean de la FONTAINE, écrivain, est né en ....
et il est mort en ....

6. Marie LAURENCIN, peintre, est née en **mille huit cent quatre-vingt-trois** et elle est morte
en ....

7. MOLIÈRE, auteur, acteur, est né en ....
et il est mort en ....

8. Jim MORRISON, chanteur, est né en ....
et il est mort en ....

9. Yves MONTAND, chanteur, comédien, est né en **mille neuf cent vingt et un** et il est mort
en ....

10. Gérard de NERVAL, écrivain, est né en ....
et il est mort en ....

QUEL EST LEUR PRÉNOM ?

Maintenant cherchez le prénom de ces personnes célèbres.

Horizontalement	Verticalement
3. Proust, écrivain, 1871-1922.	**1.** Wilde, écrivain, 1854-1900.
4. Signoret, actrice, 1921-1985.	**2.** Vallès, écrivain, 1832-1885.
6. Thorez, politique, 1900-1964.	**3.** Ophuls, cinéaste, 1902-1957.
8. Zavatta, artiste, clown, 1915-1993.	**5.** Petrucciani, pianiste, 1962-1999.
9. Rossini, musicien, 1792-1868.	**7.** Thiers, historien, politique, 1797-1877.

15. LES COULEURS EN FRANÇAIS

Thème : *Les couleurs, les drapeaux, les fruits, les légumes…*

SITES : http://discipline.free.fr/couleurs_prim.htm
et http://atlasgeo.span.ch/flags/

Objectifs :
Compréhension écrite précise et sélective
Expression écrite
Vocabulaire

LES COULEURS

1. Allez sur le site **http://discipline.free.fr** et entrez dans le site.
2. Cliquez sur la partie **La couleur** (au centre) puis **Couleurs primaires** (au centre sur la droite) et répondez aux questions. En français, on dit : **le** jaune, **le** bleu…

1. Combien y a-t-il de couleurs primaires ? ....

2. Lesquelles ? ....

3. Combien y a-t-il de couleurs secondaires ? ....

4. Lesquelles ? ....

5. Combien y a-t-il de couleurs tertiaires ? ....

6. Lesquelles ? ....

LES FRUITS ET LÉGUMES

Choisissez parmi les éléments du tableau un fruit, un légume, un élément naturel (comme la terre, le ciel…) pour les couleurs primaires et secondaires. Pour le bleu, ce n'est pas toujours possible…

1. Allez sur le site **http://saveurs.sympatico.ca/**
2. Cliquez sur **A Z Produits**.
3. Puis sur **Abricot** et enfin sur **Fruits**.
4. Pour les légumes, cliquez sur **Arachide** enfin en haut à gauche sur **Légume**.
5. Pour les éléments naturels, **consultez le dictionnaire de TV5 (voir activité 4, fiche 2).**

Fruits		Légumes		Éléments naturels	
Une pomme	Un pamplemousse	Le haricot vert	La carotte	Le soleil	La mer
Une orange	Une cerise	La betterave	La tomate	L'herbe	L'eau
Une banane	Un abricot	Le haricot beurre	Le maïs	Le sang	
Un citron	Un kiwi	Les petits pois		Les feuilles	
Une fraise	Une figue			Le ciel	

	Jaune	Rouge	Bleu	Orange	Vert	Violet
Un fruit						
Un légume						
Un élément naturel						

45 LES DRAPEAUX

1. Allez sur le site **http://atlasgeo.span.ch/flags/**

2. Cliquez sur **www.atlasgeo.ch**

3. Ouvrez les pages de A à B et de C à F. Dans la grille, trouvez les noms de pays avec les couleurs de leur drapeau.

Horizontalement

2. Bleu blanc noir blanc bleu.
4. Rouge bleu orange.
5. Blanc vert rouge.
8. Bleu blanc rouge.
9. Bleu blanc.

Verticalement

1. Vert rouge jaune + une étoile jaune.
2. Noir jaune rouge (verticalement).
3. Jaune bleu rouge.
6. Bleu noir blanc.
7. Vert (vertical) jaune rouge (horizontal).

16. UNE ENTRÉE ITALIENNE

Thème : *La cuisine*

SITES : http://perso.calixo.net/~huillier/index2.htm ainsi que www.brittany-shops.com et www.jambon-de-bayonne.com

Objectifs :
Compréhension écrite précise
Observation d'images
Les articles définis, l'absence d'article / Vocabulaire de la cuisine

46 LA PHOTO

1. Ouvrez **www.google.fr**
2. Dans la zone de recherche, tapez **La cuisine de Marthe**.
3. Ouvrez le site **http://perso.calixo.net/~huillier/index2.htm**
4. Quand vous êtes sur le site, ouvrez la recette **Petite entrée italienne**, dans le Menu, à gauche, regardez bien la photo et répondez aux questions.

	Rubrique	Vrai	Faux
1	Les tomates sont à gauche de l'assiette.		
2	On voit trois olives noires.		
3	Entre les tranches de tomates, on voit des morceaux de mozzarella.		
4	Le jambon est à gauche de l'assiette.		
5	Le jambon est du jambon cru.		
6	On voit de l'huile au fond de l'assiette.		
7	On voit des grains de sel (de la fleur de sel).		
8	L'assiette a un fond bleu.		
9	La nappe est colorée (on voit du vert, du bleu, du rouge, du blanc).		
10	On voit de la mozzarella au milieu de l'assiette.		

LE VOCABULAIRE DE LA RECETTE

Lisez la recette **(Ingrédients et Préparation)** et cherchez dans le dictionnaire de **www.tv5.org** pour associer les verbes et les noms à leur définition (voir activité 4, fiche 2).

	Verbes et noms		Définition
1	La mozarella	A	Poser une chose qu'on porte. Placer
2	Une tranche	B	Recouvrir, saupoudrer, semer, répandre
3	Intercaler	C	Un morceau coupé mince
4	Parsemer	D	Fromage italien à base de lait de vache
5	Déposer	E	Placer entre deux choses semblables

Pour savoir ce qu'est la fleur de sel de Guérande,

1. Ouvrez le site : **www.brittany-shops.com**

2. Dans **Rechercher** à gauche, au milieu de la page, tapez **fleur de sel de Guérande**.

Ouvrez le site **Fleur de sel de Guérande Fruit de l'océan, du soleil et du vent : la fleur de ... Le Paludier**, lisez le texte et répondez aux questions.

6. De quoi est composée la fleur de sel de Guérande ?

....

7. Est-ce que ce sel est ordinaire ?

....

8. Comment il est « cueilli », ramassé, récolté ?

....

9. Avec quoi la fleur de sel est-elle idéale, parfaite ?

....

10. Allez sur le site **www.jambon-de-bayonne.com** et en haut à gauche ouvrez la partie **Produit certifié** et, en bas de la page, il y a : **Synthèse du cahier des charges**. Dites combien il y a d'étapes et lesquelles.

....

....

....

....

UN PEU DE GRAMMAIRE

Relisez la recette. Vous remarquez que dans **Ingrédients**, il n'y a pas d'article : on exprime des quantités (4, 8, 200 grammes de) ou des produits (olives, huile…). Ouvrez maintenant la fiche **Cake** dans la partie **Desserts** et complétez le tableau.

	Produit	Dans la partie « Ingrédients »	Dans la partie « Recette »
1	Sucre	125 grammes de sucre	Le sucre
2	Beurre		
3	Œufs		
4	Farine		
5	Levure chimique		
6	Raisins secs		
7	Rhum		

Dans la partie « Recette », les produits sont exprimés soit avec l'article défini **le, la, les** (car on en a déjà parlé dans la partie « Ingrédients » et ils sont donc définis) soit on exprime une quantité (« un bouquet de », « une cuillérée à soupe de », « 150 grammes de », « un sachet de »), **il n'y a pas d'article**.

Complétez maintenant le tableau ci-dessous. À gauche, il y a les ingrédients. Comment sont-ils écrits dans la recette ?
Vérifiez ensuite avec la recette : **Truite et saumon fumés au fromage frais de chèvre**

	Dans la partie « Ingrédients »	Dans la partie « Recette »
8	150 g de saumon fumé	
9	150 g de truite fumée	
10	150 g de chèvre frais	
11	Crème	
12	Ciboulette	
13	Sel et poivre	

17. NAUSICAA

Thème : *Un parc d'attraction, une ville*

SITES : www.nausicaa.fr et www.tv5.org ainsi que www.ville-boulogne-sur-mer.fr

Objectifs :
Observation d'images
Compréhension écrite sélective
L'expression des dates, des horaires, des chiffres

 REGARDER L'INTRODUCTION

1. Allez sur le site **www.nausicaa.fr**
2. Cliquez sur **Entrer** (le petit drapeau français).
3. Observez les images et répondez aux questions.
4. **Si vous avez un problème de vocabulaire, consultez le dictionnaire de TV5 (voir activité 4, fiche 2).**

		Vrai	Faux
1	Un bébé grandit, devient un homme et porte un globe terrestre dans ses mains.		
2	On voit les paysages sous la mer.		
3	On voit une tortue qui nage de gauche à droite.		
4	Des poissons nagent de droite à gauche.		
5	Il y a des plantes.		
6	On voit des étoiles de mer.		
7	Il y a un sous-marin.		
8	On voit un bateau.		
9	Il y a plusieurs nuances de bleu.		
10	Il y a du rose, de l'orange, du jaune, du rouge, du vert.		

1. À la fin de l'introduction, cliquez sur **Menu**.
2. Cliquez sur **Horaires, Tarifs/Abonnements**, pour pouvoir remplir la grille.
3. Ensuite, complétez le texte avec les renseignements.

	Les horaires		Les tarifs	Adulte	Enfants de 3 à 12 ans
1	Du 1er juillet au 31 août				
2	Du 1er septembre au 30 juin				
3	Le 1er janvier				
4	Périodes de fermeture				
5	Durée moyenne de la visite				
6			Individuel en haute saison		
7			Individuel en basse saison		
8			Étudiants et demandeurs d'emploi		
9			Personnes handicapées		
10			Visite guidée		

Nausicaa est un centre de découverte de la mer qui se trouve à Boulogne-sur-mer. Du 1er juillet au (1) .... il est ouvert (2) .... de 9 h 30 à (3) .... Du 1er (4) .... au 30 juin, il est (5) .... tous les jours de (6) .... à (7) .... et le (8) .... de 14 h à 18 h 30. Il est (9) .... le (10) .... et du 10 au 28 janvier. La durée de la visite est (11) .... de (12) ....

Les tarifs changent selon la saison : en haute (13) .... 12,50 € pour (14) .... et (15) .... pour les (16) .... de 3 à 9 ans, en (17) .... saison (18) .... pour un adulte et (19) .... pour les enfants de 3 à 9 ans. L'entrée coûte 9,50 € pour les (20) .... et les (21) .... et 6,50 € pour les (22) .... et la visite guidée coûte 4 €.

LA RÉGION ET LA VILLE
Découvrez la ville de Boulogne-sur-mer :

1. Allez sur le site **www.ville-boulogne-sur-mer.fr**

2. En bas à gauche cliquez sur **Le plan de la ville** et répondez aux questions.

    1. Quel est le code postal de la ville ? ....

    2. Quel est le nom du département ? ....

    3. Quel est le nom de la région ? ....

    4. Combien y a-t-il d'habitants dans la ville de Boulogne-sur-mer ? ....

    5. Quelle est l'altitude ? ....

    6. Quelle est la superficie de la ville ? ....

    7. À quelles autoroutes Boulogne-sur-mer est reliée et cela la relie avec quelles villes et quelles régions de France et d'Europe ? ....

    8. Dans quelles villes le TGV permet d'aller facilement ? ....
....

    9. À combien de minutes se trouve le tunnel sous la Manche ? Par quel type de route on y va ?
....

10. Grâce à ce réseau routier, autoroutier, ferroviaire, quelles villes sont à moins de trois heures de Boulogne, à deux heures ? Combien de personnes vivent dans cette zone ?
....
....

Écrivez maintenant un court texte qui présente la ville de Boulogne-sur-mer :
....
....
....
....
....
....
....
....
....

18. POUR ALLER À

Thème : *S'orienter en ville – indiquer un trajet*

SITES : www.ville-douai.fr/flaner/visvirt/zoom.htm
www.viamichelin.fr

Objectifs :
Lire un plan dans un site internet
Vocabulaire de la rue
Indiquer un trajet / Se diriger dans une ville

---

52 LA VILLE

1. Ouvrez le plan de la ville de Douai : **www.ville-douai.fr/flaner/visvirt/zoom.htm**
2. Regardez le plan, trouvez les mots manquant dans les phrases.
3. Mettez les mots dans la grille.
4. Du haut en bas, dans les cases grises, vous trouvez encore un mot qui indique une rue.

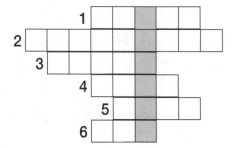

1. Devant la gare, il y a la .... de la Gare.
2. Bvd Poincaré ; Bvd, cela veut dire ....
3. On veut aller à Valenciennes. On sort de la ville par la .... de Valenciennes.
4. Pour aller à Gand, on a le .... d'Esquerchin sur la Déviation de la Scarpe.
5. Le long de la Scarpe, on a le .... du Maréchal Joffre.

---

53 POUR ALLER À LA MAIRIE

1. Allez sur le site **www.viamichelin.fr**
2. Repérez la zone **Cartes & Plans**
3. Dans la case **rue**, tapez **Saint-Samson** et dans la case **code postal**, tapez 59500.
4. Agrandissez la carte en cliquant sur **agrandir la carte**.
5. Voici une conversation. Un automobiliste demande son chemin. Quelqu'un lui explique.
6. Consultez la carte ! Éventuellement, utilisez la flèche à droite de la carte pour voir la partie droite de la carte.

7. Remplissez les trous. Utilisez les mots ci-dessous.

carrefour | Cloche | Cloris | gauche | Merci | Paris | parking | pont | sens unique | troisième | virage

* Pardon, pour aller à la mairie, s'il vous plaît ?

+ Vous êtes en voiture ?

* Oui, monsieur.

+ Alors, vous êtes donc ici, rue Saint-Samson. Suivez cette rue. C'est une rue à [a] .... Vous allez avoir un grand virage à droite. Vous arrivez alors dans la rue de la [b] .... Vous continuez, vous traversez le [c] .... et vous êtes dans la rue de la [d] ....

* Donc, continuer ici, prendre le [e] ...., continuer et passer le pont ?

+ C'est ça. Puis, après, 150 mètres, vous avez un grand [f] ...., là vous prenez la deuxième à [g] ...., la rue des Foulons et puis vous prenez la [h] .... à gauche.

* Voilà, donc, après le pont, deuxième à gauche, puis troisième à gauche.

+En effet. Et puis, deuxième à gauche, rue de [i] .... Là vous trouvez un [j] .... Et la mairie se trouve dans la deuxième à gauche, rue de la Marie.

* [k] .... beaucoup.

54   LES MONUMENTS DE LA VILLE

1. Ouvrez le site de la ville de Douai : **www.ville-douai.fr/flaner/visvirt/zoom.htm**

2. Regardez le plan, trouvez les mots manquants dans les phrases : il s'agit des monuments et des curiosités de la ville.

3. Mettez les mots dans la grille.

4. Du haut en bas, dans les cases grises, vous trouvez encore un mot qui indique une église.

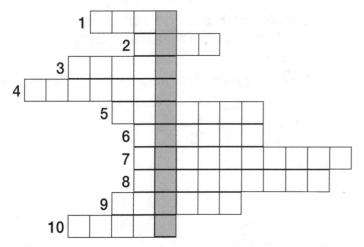

1. Près de la Porte de Valenciennes, il y a le .... Bertin, un espace vert de 6 hectares.

2. La .... des Dames, se trouve rue St. Vaast.

3. Rue de la Comédie, vous trouvez l' .... d'Aoust.

4. L' .... général se trouve près de la porte de Valenciennes.

5. L'entrée du .... muni-

6. L' .... saint-Jacques, rue des Récollets-Anglais, est fermée au public.

7. Boulevard Paul-Hayez se trouve l' ....

8. Rue Morel, vous trouvez les .... d'Anchin.

9. Le .... de Flandre se trouve quai du Maréchal Joffre.

10. Le .... de la Chartreuse se trouve boulevard de la République.

19. LES FRANÇAIS

Thème : *La population de la France, les occupations, les loisirs*

SITES : www.lesclesjunior.com et le dictionnaire de la langue française de www.tv5.org

Objectifs :
Compréhension écrite précise
Repérages d'éléments (chiffres, pourcentages, dates...)
Civilisation

55 | **COMBIEN DE FRANÇAIS ?**

1. Ouvrez le site **www.lesclesjunior.com**
2. Cliquez sur le 6ᵉ et dernier dossier, vert, en bas à gauche **Archives**.
3. Choisissez la date du **20 janvier 2005**.
4. Cliquez sur **Afficher** et ouvrez l'article **62 millions d'habitants**. Lisez-le et répondez aux questions.
Si vous avez un problème de vocabulaire, consultez le dictionnaire de TV5 (voir activité 4, fiche 2).

1. Combien y a-t-il d'habitants en France en janvier 2004 ?
....

2. Est-ce que c'est un chiffre exact ?
....

3. Qu'est-ce que c'est : « un recensement » ?
....

4. Quand s'est passé le dernier recensement en France ?
....

5. Combien d'habitants à cette époque ?
....

6. Combien y a-t-il d'habitants en plus ?
....

7. Combien de personnes en plus grâce à la différence entre les naissances et les morts ?
....

8. Pour quelle autre raison la population de la France augmente-t-elle ?
....

9. Comment se passe le recensement ?
....

10. En février, on a un autre chiffre. Lequel et pourquoi cette différence ?
....

1. Ouvrez le **dictionnaire de TV5 (voir activité 4, fiche 2)**.
2. Tapez les mots de la colonne de gauche.
3. Cliquez sur **Synonymes**.

	Les mots du texte		Les synonymes
1	Un chiffre	A	Un travail, une action, une entreprise, une intervention, un traitement, un calcul
2	Une estimation	B	2. Un employé, un fonctionnaire, un préposé…
3	Issu	C	1. un formulaire 2. une enquête, un sondage, un test, une consultation…
4	Un recensement	D	Une quête, une récolte, un ramassage…
5	Une opération	E	Une disparition, une mort, une extinction, un départ, une perte…
6	Effectuer	F	sortir, découler, résulter, provenir, venir de, naître de
7	Un questionnaire	G	1. installer : créer, fonder, instaurer… 2. Déterminer : calculer, rédiger, écrire…
8	Un agent	H	Une appréciation, une expertise, un devis, un calcul, une approximation, un aperçu, une détermination
9	Établir	I	Dès ce moment-ci, à l'avenir, à partir d'aujourd'hui
10	Une collecte	J	Un montant, un total, une somme, un coût, une addition, un nombre, un numéro…
11	Un décès	K	Un dénombrement, une statistique, une liste, un compte, une énumération, un inventaire
12	Désormais Attention : cliquez sur « Définitions »	L	Faire, réaliser, créer, fabriquer, agir, travailler, exécuter, produire, accomplir…

1	2	3	4	5	6	7	8	9	10	11	12

1. Allez sur le site **www.lesclesjunior.com**

2. Cliquez sur le 6e et dernier dossier, vert, en bas à gauche : **Archives**.

3. Choisissez la date : **22 janvier 2005**. Cliquez sur **Afficher** et consultez l'article **Il était une fois un jour en France** et trouvez la bonne réponse.

1. Les Français dorment en moyenne : ☐
   a. 6 heures par jour ☐
   b. 7 heures par jour ☐
   c. 7 heures 30 par jour ☐

2. Les Français se lavent pendant :
   a. 12 minutes par jour ☐
   b. 26 minutes par jour ☐
   c. 48 minutes par jour ☐

3. Les femmes françaises se lavent :
   a. 2 minutes de plus par jour que les hommes ☐
   b. 7 minutes de plus ☐
   c. 15 minutes de plus ☐

4. Combien de Français ne prennent jamais ni bain ni douche ?
   a. 1,5 millions ☐
   b. 2,3 millions ☐
   c. 4,5 millions ☐

5. Les Français achètent chaque jour :
   a. 12 000 flacons de parfum ☐
   b. 172 000 flacons de parfums ☐
   c. 275 000 flacons de parfums ☐

6. Les Français achètent chaque jour :
   a. 52 521 jeans ☐
   b. 76 712 jeans ☐
   c. 84 843 jeans ☐

7. Les Français achètent chaque jour :
   a. 556 854 paires de chaussures ☐
   b. 884 931 paires de chaussures ☐
   c. 997 856 paires de chaussures ☐

8. Les Français passent en moyenne à table :
   a. 1 heure 25 ☐
   b. 2 heures 14 ☐
   c. 3 heures 17 ☐

9. Ils mangent :
   a. 146 grammes de pain et de céréales ☐
   b. 256 grammes de pain et de céréales ☐
   c. 347 grammes de pain et de céréales ☐

10. Ils mangent :
   a. 75 grammes de fruits et 86 grammes de légumes. ☐
   b. 98 grammes de fruits et 100 grammes de légumes. ☐
   c. 113 grammes de fruits et 110 grammes de légumes. ☐

20. UN HÔTEL DE LUXE À PARIS

Thème : *L'hôtellerie, le luxe, Paris*

Site : www.royalmonceau.com

Objectifs :
Compréhension écrite sélective
Les chiffres

58 | **INFORMATIONS SUR L'HÔTEL**

1. Allez sur le site **www.royalmonceau.com**
2. Cliquez sur **Français**.
3. Lisez le texte **Art de vivre et tradition** et répondez aux questions.

1. Quelle est l'adresse de l'hôtel ?

....

2. Quel est le numéro de téléphone depuis l'étranger ?

....

3. Près de quelle avenue célèbre de Paris, de quel parc et de quel monument est-il situé ?

....

4. Au cœur de quoi est-il situé ?

....

5. En quelle année a-t-il ouvert ?

....

6. Comment appelle-t-on cette période ?

....

7. Quel écrivain célèbre y a habité ?

....

8. Quel acteur américain y a habité ?

....

9. Quel général américain y a habité ?

....

10. Quels chanteurs et chanteuses y viennent ?

....

....

59 QUEL TYPE D'HÔTEL ?

1. Ouvrez la rubrique **Plan d'accès** (tout en haut) pour les 3 premières questions.
2. Pour les autres questions, ouvrez **Chambres, suites** (plus bas).
3. Dites si ces affirmations sont vraies ou fausses.

		Vrai	Faux
1	L'hôtel se situe à 30 kilomètres de l'aéroport Roissy-Charles-de-Gaulle et à 30 kilomètres également d'Orly.		
2	Il est à 10 minutes de la gare du Nord.		
3	On peut aller aux Champs-Élysées et à l'Arc de triomphe à pied.		
4	L'hôtel a plus de 200 chambres dont 45 suites.		
5	Les chambres donnent toutes sur le jardin de l'hôtel.		
6	Elles sont élégantes et confortables.		
7	Il y a dans les chambres des meubles d'époque, des moquettes épaisses, des salles de bain en marbre…		
8	Il y a une suite royale qui propose 200 mètres carrés avec salle à manger, vaste salon et chambres ainsi que deux salles de bains avec jacuzzi et hammam.		
9	Une suite est une chambre avec un salon.		
10	Les suites sont luxueuses et anciennes.		

60 LES PRIX…
Pour compléter le texte…

1. Allez dans la partie **Tarifs et offres spéciales**.
2. Allez aussi dans la partie **Restaurants Bar** (Consulter la carte).

Paris, le 12 mars 2005

Bonjour à vous deux

Je vous écris depuis l'hôtel Monceau à Paris. L'hôtel est absolument magnifique et très bien placé, tout près des Champs-Élysées. Heureusement que ce n'est pas moi qui paie car c'est assez cher (1) .... euros pour une chambre classique. Le petit déjeuner (2) .... coûte (3) .... euros et le buffet (4) .... euros !

Il y a des chambres (par exemple, les chambres Deluxe) qui coûtent (5) .... euros. Et les suites peuvent (6) .... jusqu'à (7) .... euros pour la suite royale !

L'hôtel propose aussi des week-ends spéciaux, (8) .... à Paris, Honeymoon (en français : Lune de miel…) avec des prix comme le nombre d'années de mariage : or, (9) .... ou platine…

Le restaurant est magnifique. Hier j'ai pris un foie (10) ....de canard poêlé, un agneau de Lozère et comme dessert un sushi d'ananas mariné. Un vrai bonheur !

Je vous embrasse. À bientôt.

21. SE DIRIGER

Thème : *Les indications de direction*

> SITES : www.nrc-cnrc.gc.ca/institutes/directions/montreal_f.html
> et www.tv5.org
>
> Objectifs :
> *Compréhension écrite sélective*
> *L'expression de la direction*

 LE VOCABULAIRE NÉCESSAIRE

1. Ouvrez le site de TV5 (**www.tv5.org**)
2. **Consultez le dictionnaire de TV5 (voir activité 4, fiche 2).**
3. Cliquez sur **Définitions** (*sauf pour les mots en 1 et 4 : cliquez sur « Synonymes »*).
4. Il y a parfois plusieurs sens. Il faut choisir entre 1 et 2 (1er sens et 2e sens).

	Expressions		Définitions
1	Prendre une **direction**	A	aller, marcher vers.
2	Prendre l'**autoroute**	B	1er sens. Chemin : passage, route, piste, sentier, artère, avenue, rue.
3	Prendre **une bretelle** d'accès	C	2e sens. modérément, à peine, pas beaucoup, faiblement…
4	Prendre une bretelle **d'accès**	D	2e sens. braquer, diriger, se rendre, marcher, s'acheminer, aller vers, changer, virer, changer de côté, changer de sens…
5	Prendre **la voie** de gauche ou de droite	E	Placé dans un certain environnement, dans une certaine direction en parlant d'une région, d'une ville, d'une maison, etc.
6	**Tourner** à droite	F	Sert à marquer le terme, la fin de quelque chose, d'une route…
7	À gauche, vers la gauche **légèrement**	G	2e sens. Voie de raccordement
8	**Se diriger**	H	Route à plusieurs voies, sans croisement, réservée

	Expressions		Définitions
9	**Jusque** (jusqu'à)	**I**	1er sens. Entrée : porte, seuil, vestibule, réception, hall, ouverture, passage
10	**Situé à** votre gauche	**J**	1er sens. orientation, cap, axe, ligne, route, côté, chemin, but.

1	2	3	4	5	6	7	8	9	10

62 | COMMENT Y ALLER ?

1. Dans Google tapez **se diriger Directives routières**.
2. Sur le site du CNRC à Montréal lisez la partie : **Par route, de L'AÉROPORT INTERNATIONAL PIERRE-ELLIOTT-TRUDEAU DE MONTRÉAL (Dorval)** et complétez le texte.

.... ROMÉO VACHON SUD

.... sur CÔTE DE LIESSE, qui devient MICHEL-JASMIN

.... et .... l'AUTOROUTE 520 EST / CÔTE DE LIESSE vers la

.................de l'AUTOROUTE 40

Tourner .... vers la GAUCHE et prendre la bretelle d'accès vers l'AUTOROUTE 40 EST

Prendre .... GAUCHE et .... en .... jusqu'à la sortie DÉCARIE SUD, ... votre DROITE et prendre la SORTIE 69, JEAN-TALON / VAN HORNE

Garder la GAUCHE et tourner .... à votre GAUCHE, puis encore à GAUCHE sur DÉCARIE direction NORD .... tourner à GAUCHE sur ROYALMOUNT (DE LA SAVANE devient ROYALMOUNT du CÔTE OUEST de DÉCARIE) Se diriger jusqu'au 6100 ROYAL-MOUNT situé a votre GAUCHE

63 | J'EXPLIQUE...

Lisez maintenant la partie **Par route, de la gare du CN,** écrivez les verbes à l'infinitif et transformez-les : attention aux pronoms...

1. ....vers l'OUEST sur DE LA GAUCHETIÈRE vers MANSFIELD = **Tu** ....

....

2. .... à GAUCHE sur CATHÉDRALE = **Vous** ....

3. .... à DROITE sur SAINT-ANTOINE = **Nous** ....

4. .... la bretelle d'accès vers l'AUTOROUTE 720 OUEST (VILLE-MARIE) en direction de l'AÉROPORT MIRABEL / AUTOROUTE 15 NORD = **Ils** ....

5. .... la sortie AUTOROUTE 15 NORD = **Tu** ....

6. .... la SORTIE 69, JEAN-TALON / DE LA SAVANE = **Vous** ....

....

7. .... tout droit sur la route de service de DÉCARIE jusqu'à la 4e lumière et tournez à GAUCHE sur ROYALMOUNT (DE LA SAVANE devient ROYALMOUNT du CÔTE OUEST de DÉCARIE) = **Je** ....

8. .... jusqu'au 6100 ROYALMOUNT situé à votre GAUCHE = **Il** ....

22. LES RÉGIONS FRANÇAISES

Thème : *Géographie, organisation administrative*

SITES : www.infoparks.com et www.hist-geo.com

Objectifs :
Compréhension écrite globale
Expression écrite
Civilisation

64 LES RÉGIONS ADMINISTRATIVES DE LA FRANCE

1. Allez sur le site **www.infoparks.com**
2. Sur la page d'accueil, cliquez sur **16 pays d'Europe** (au centre, dans **Bienvenue sur le guide des parcs situés en Europe !**).
3. Cliquez sur le drapeau français.
4. Passez la souris sur les différentes régions pour connaître leur nom et répondez aux questions.

1. Combien y a-t-il de régions administratives en France ?

....

2. Quelle est la région la plus au nord ?

....

3. Quelle est la région la plus au sud ?

....

4. Quelle est la région la plus à l'ouest ?

....

5. Quelle est la région la plus à l'est ?

....

6. Quelles régions ont une frontière avec l'Espagne ?

....

7. Quelles régions ont une frontière avec l'Italie ?

....

8. Quelles régions ont une frontière avec la Suisse ?

....

9. Quelles régions ont une frontière avec l'Allemagne ?

....

10. Quelles régions ont une frontière avec la Belgique ?

....

65 | LES CAPITALES RÉGIONALES

1. Allez sur le site **www.hist-geo.com**
2. Au centre, dans **Classement par type de document** cliquez sur **Cartes administratives**.
3. Dans **Europe** cliquez sur **Carte des régions administratives de France métropolitaine** (il y a des carrés noirs qui bougent pour empêcher de copier la carte).
Quelle est la ville principale de la région ? Remplissez le tableau.

	Région	Ville		Région	Ville
1	Alsace		12	Limousin	
2	Aquitaine		13	Lorraine	
3	Auvergne		14	Midi-Pyrénées	
4	Bourgogne		15	Nord-Pas-De-Calais	
5	Bretagne		16	Basse Normandie	
6	Centre Val-de-Loire		17	Haute-Normandie	
7	Champagne-Ardenne		18	Pays de la Loire	
8	Corse		19	Picardie	
9	Franche-Comté		20	Poitou-Charentes	
10	Île-de-France		21	Provence-Alpes-Côte d'Azur	
11	Languedoc-Roussillon		22	Rhône-Alpes	

66 | MERS ET FLEUVES

1. Allez sur le site **www.hist-geo.com**
2. Au centre, dans **Classement par type de document** cliquez sur **Cartes de géographie physique**.
3. Dans **Europe** cliquez sur **Carte des principaux fleuves de France** (il y a des carrés noirs qui bougent pour empêcher de copier la carte).

4. Observez bien la carte pour remplir la grille de mots croisés.

Horizontalement	Verticalement
1. La mer au sud de la France.	**1.** Mer entre la France et l'Angleterre.
4. Le golfe à l'ouest.	**2.** À l'ouest, le grand océan.
5. Elle coule à Paris.	**3.** Il longe l'Allemagne.
6. Elle passe à Toulouse.	**7.** Il va de la Suisse en Méditerranée.
9. C'est le plus long fleuve, celui des châteaux.	**8.** Le golfe du sud.

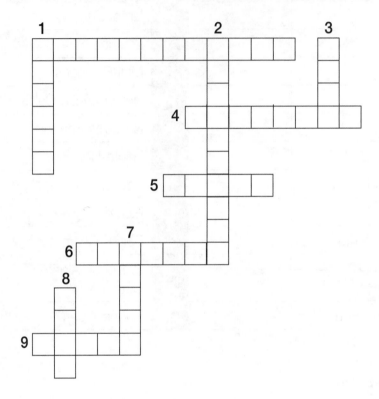

23. UNE PROFESSEURE DE FRANÇAIS EN MONGOLIE

Thème : *La France et le français en Mongolie*

SITES : www.atlasgeo.net et www.tv5.org

Objectifs :
Compréhension écrite globale
Compréhension orale globale puis précise

67 OÙ EST LA MONGOLIE ?

1. Allez sur le site **www.atlasgeo.net**
2. Cliquez sur **www.atlasgeo.ch**
3. Cherchez les informations sur la Mongolie.

1. Dans quel continent se trouve la Mongolie ?...

2. Quelle est la capitale ?..

3. Quels sont les pays voisins ?...

4. Combien y a-t-il d'habitants ? ....

5. Quelle est la superficie ?...

6. Quelles langues on y parle ?...

7. Quel est le point culminant (le plus haut) ?...

8. Comment s'appelle la monnaie ? ....

9. Quelles sont les trois couleurs sur le drapeau ? ....

10. Quel est le jour de la fête nationale ? ....

68 UNE PROFESSEUR PARLE DE SON PAYS

1. Allez sur le site : **www.tv5.org**
2. Tout en bas de la page d'accueil, à droite, cliquez sur **WebTV5** (Il faut utiliser l'ascenseur à droite).
3. À gauche, vous voyez plusieurs liens. Cliquez sur **Langue Française**.
4. Puis sur **Rencontres d'Atlanta**.
5. Enfin sur la première vidéo : **Altangul Bolat**.
Écoutez une première fois et répondez aux questions.

	Questions	
1	Où travaille Altangul Bolat ?	
2	Qu'est-ce qu'elle enseigne ?	
3	Combien de professeurs de français sont réunis à Ulan-Bator ?	

	Questions	
4	Quand a été fondée l'association des professeurs ?	
5	Combien de livres français sont traduits en mongol ?	
6	Les Mongols connaissent Maupassant, Victor Hugo ?	
7	Quels acteurs français connaissent-ils ?	
8	Quelle est l'expression française favorite d'Altangul Bolat ?	

69 METTRE LES PHRASES DANS L'ORDRE

Écoutez de nouveau et mettez les phrases dans l'ordre où vous les entendez.
La phrase 0 est un exemple, c'est la première phrase.

	Phrases	Ordre
0	Bernard Pivot : Altangul Bolat quelle nationalité selon vous ? Ah … Bravo ! Vous avez deviné : mongole.	1
1	et ça veut dire ils connaissent beaucoup de livres français il y a plus de 350 œuvres comme romans pièces …	
2	Bernard Pivot : Et quelle peut bien être l'expression française favorite d'une professeure de français en Mongolie ?	
3	Altangul Bolat : …de théâtre traduites en mongol, des nouvelles de Maupassant par exemple des romans de Victor Hugo *Notre-Dame de Paris* par exemple Esméralda.	
4	C'est l'influence des Russes, on connaît très bien la France.	
5	Altangul Bolat : Nous sommes une trentaine, une trentaine de professeurs de français à Ulan-Bator réunis et nous avons une association de professeurs de français de professeurs de la langue française fondée en l'an 2000.	
6	Altangul Bolat : Je suis si heureuse, je dis : Ah c'est la vie !	
7	Ça veut dire ils ont les images les personnages et aussi les Mongols connaissent très bien les acteurs comme Alain Delon Catherine Deneuve.	
8	Altangul Bolat est une jeune femme qui enseigne le français à l'Université nationale de Mongolie. Et, vous allez le voir, elle n'est pas la seule de son espèce.	
9	Bernard Pivot … traduites en mongol…	
10	Il y a eu beaucoup d'intérêt auprès des Mongols de lire des livres, des œuvres des auteurs français ça veut dire les Mongols savent que la littérature française c'est un patrimoine mondial.	

24. ON PREND LE MÉTRO ?

Thème : *Paris, transport en commun*

SITE : www.ratp.fr

Objectifs :
Recherche ciblée d'informations
Utiliser un plan interactif
Savoir s'orienter sur un plan du métro de Paris

---

20 CE N'EST PAS GRATUIT ?

1. Allez sur le site **www.ratp.fr**
2. Dans la deuxième colonne à gauche, repérez le titre **Bon à savoir**.
3. Cliquez sur **Tous les tarifs**.
4. Classez les titres de transport ci-dessous du moins cher au plus cher.

a. abonnement intégral (un an) zones 1-2
b. carte orange zones 1 – 2 (un mois)
c. carte orange zones 1-2 (une semaine)
d. Mobilis (un jour) zones 1 – 2
e. Noctilien (trajet aller-retour)

f. Paris Open tour adulte 1 jour
g. Paris Open tour, enfant (7 ans) 2 jours
h. Paris Visite adulte 1 jour zones 1-3
i. Paris Visite enfant (10 ans) 5 jours zones 1-3
j. ticket T

1 (le moins cher)	2	3	4	5	6	7	8	9	10 (le plus cher)

21 LE MÉTRO, QUELLE LIGNE, QUELLE STATION ?

1. Allez sur le site **www.ratp.fr**
2. Dans la colonne à gauche, cliquez sur **Plan interactif**.
3. Regardez l'animation qui explique comment le plan fonctionne.
4. Avec le plan : trouvez les mots à mettre dans les mots-croisés.

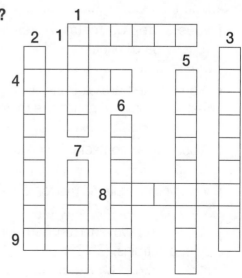

Horizontalement	Verticalement
1. Quelle est la couleur de la ligne cinq ?	**1.** Les lignes 3, 7 et 8 passent dans quelle station ?
4. Ligne 4 : quelle est la station entre Saint.-Michel et Saint-Germain-des-Prés ?	**2.** On sort de la station « Cité », on est ... du Palais. [nom de la rue]
5. Pour aller de Rome à Stalingrad, on prend la ligne deux en direction de....	**3.** La ligne 1 relie La Défense au Château de
9. La station Pigalle se trouve sur les lignes deux et	**5.** La ligne C du RER. Quel est le nom de la station entre Musée d'Orsay et Pont de l'Alma ?
	6. La station « Opéra » est près du théâtre National de l'Opéra .
	7. Le RER ligne D relie Orry-la-Ville à Malesherbes et à

22 **J'AI BESOIN D'UNE INFORMATION**

1. Allez sur le site **www.ratp.fr**
2. Dans la deuxième colonne à gauche, repérez le titre **Bon à savoir**.
3. Cliquez sur **Numéros et adresses utiles**.
4. Pour chaque situation, notez le numéro de téléphone nécessaire.

a. Le matin, il pleut. Votre parapluie ? Oublié dans le métro hier.

....

b. Vous avez perdu votre carte orange.

....

c. Vous avez un accident dans le métro. Vous avez une question juridique à poser.

....

d. Vous êtes à Paris. Vous vous êtes cassé la jambe. Vous êtes dans une chaise roulante. Vous voulez de l'aide (de l'assistance) dans le métro.

....

e. Vous n'êtes pas content : vous avez une réclamation à faire.

....

f. Vous sortez du métro. Après un quart d'heure, vous remarquez que vous avez perdu votre appareil photo.

....

g. Vous voulez aller à Paris avec une personne handicapée. Vous voulez des informations : est-il possible de prendre le métro ou un bus ?

....

h. Vous voulez contacter le service clientèle de la RATP.

....

i. Vous voulez visiter la maison de la RATP.

....

j. Vous voulez voyager un peu dans la région Île-de-France. Vous voulez une information au sujet des trains. (SNCF)

....

25. À L'HÔTEL

Thème : *Voyage – logement – chambres d'hôtel*

Site : www.accorhotels.com

Objectifs :
Vocabulaire : location d'une chambre
Travail sur l'image : description, couleurs
Calculer un prix

23 QU'EST-CE QU'IL Y A DANS L'HÔTEL ?

1. Allez sur le site www.accorhotels.com/accorhotels/index.html
2. Si vous arrivez sur les pages en anglais, cliquez sur le petit drapeau français (bleu, blanc, rouge) dans le coin droite en haut de la page.
3. À gauche, vous avez la rubrique **Cherchez & Réservez**.
4. Cherchez les hôtels indiqués dans le tableau. Tapez le nom de la ville (en gras) puis cherchez l'hôtel écrit dans le tableau.
5. Cliquez sur **Plus d'infos**.
6. Notez pour chaque hôtel les informations demandées : suivez le modèle (Hôtel Ibis Montpellier Sud).
7. Notez x pour « oui », « 0 » pour non et « - » dans le cas où le site ne donne pas d'information à ce sujet.

Hôtel	chambres	parking privé	animaux admis
Hôtel Ibis Montpellier centre	*125*	*x*	*x*
Ibis **Arles**			
Novotel **Besançon**			
Mercure **Grenoble** Meylan			
Ibis **Lille** Opéra			
Novotel **Limoges** Le Lac			
Mercure **Lyon** Lumière			
Sofitel **Nice** centre			
Formule 1 **Pau**			
Etap Hôtel **Reims** Thillois			
Novotel **Rennes** Alma			

24 **UNE VISITE VIRTUELLE**

1. Allez sur le site **www.accorhotels.com/accorhotels/index.html**
2. Si vous arrivez sur les pages en anglais, cliquez sur le petit drapeau français (bleu, blanc, rouge) dans le coin droite en haut de la page.
3. À gauche, vous avez la rubrique **Cherchez & Réservez**.
4. Cherchez l'hôtel Sofitel Nice centre.
5. Cliquez sur **Plus d'infos**, puis, dans le menu à gauche, sur **Visites virtuelles**.
6. Il y a 5 petits films. Regardez les films et répondez aux questions : il y a 3 questions par film.

[film 1]
1. Il y a combien de clients devant la réception ? ....
2. Il y a combien d'employées derrière la réception ? ....
3. Une réceptionniste téléphone. Quelle est la couleur de sa veste ? ....

[film 2]
4. Il y a combien de lampes allumées ? ....
5. Quelles sont les couleurs de l'armoire de télévision ? ....
6. De quelle forme est la poubelle sous la table ? ....

[film 3]
7. Où on a filmé ? ....
8. Qu'est-ce que la fille fait ? ....
9. De quelle couleur sont les sièges des chaises ? ....

[film 4]
10. Il y a combien de parasols ouverts ? ....
11. De quelle couleur sont les dos des chaises ? ....
12. Quelle est la couleur des tables ? ....

[film 5]
13. Quelle est la forme de la piscine ? ....
14. Il y a combien de chaises longues sur le côté droite de la piscine ? ....
15. Il y a combien de petits escaliers dans la piscine ? ....

1. Allez sur le site **www.accorhotels.com**
2. Si vous arrivez sur les pages en anglais, cliquez sur le petit drapeau français (bleu, blanc, rouge) dans le coin droite en haut de la page.
3. À gauche, vous avez la rubrique **Cherchez & Réservez**.
4. Cherchez les hôtels indiqués dans les situations.
5. Cherchez dans la rubrique **Prix** les informations nécessaires pour calculer le prix à payer pour chaque situation. Si vous ne trouvez pas les prix, vous pouvez faire la première étape de la réservation. Pour cela, cliquez sur **Réserver**.
6. Prenez toujours le prix le moins cher : la chambre sans petit déjeuner.
7. Dans le tableau, classez les numéros des séjours, du moins cher au plus cher.

a. À Lyon, Nicole, jeune cinéaste, passe 2 nuits dans une chambre simple de l'hôtel Mercure Lyon Lumière.
....

b. Pendant leurs vacances au mois d'août, la famille Leclerc passe une nuit dans l'hôtel Novotel à Besançon. Il y a les parents et leurs deux fils (Ferdinand, 7 ans et Jules, 5 ans). Ils prennent une chambre standard avec 1 lit double et 2 lits simples.
....

c. Avec leurs enfants, les parents de Peter (15 ans) et Chantal (17 ans) passent un week-end (deux nuits) dans l'hôtel Sofitel Nice centre. Ils prennent deux chambres simples et une chambre double.
....

d. Pendant leur voyage de noces, Françoise et Bernard passent une nuit dans l'hôtel Mercure Grenoble Meylan.
....

e. Pendant leurs vacances d'été, Jean-Luc et son frère Patrick passent une semaine (7 nuits) dans l'hôtel Ibis Arles.
....

f. Pendant les vacances de Pâques, au mois d'avril, un couple et leur enfant de 5 ans logent pendant 3 nuits dans l'hôtel Formule 1 à Pau.
....

g. Un groupe de 7 jeunes filles voyage en France. Elles passent une nuit dans l'hôtel Etap Hotel Reims Thillois.
....

1 (le moins cher)	2	3	4	5	6	7 (le plus cher)

26. VISITER LA VILLE DE BLOIS

Thème : *S'orienter en ville – indiquer un trajet*

SITE : **www.sosdriver.fr**

Objectifs :
Lire un plan dans un site internet
Vocabulaire de la rue
Indiquer un trajet
Se diriger dans une ville
Conjuguer des verbes à l'indicatif présent

 NAVIGUER SUR LE PLAN

1. Allez sur le site **www.sosdriver.fr**
2. Cliquez sur **Pratique** (en bas de la page) puis sur le plan interactif de la ville de Blois.
3. Répondez aux questions ou complétez les phrases. Les consignes pour naviguer se trouvent dans la question.

1. Cherchez les boutons pour agrandir (zoom in) et réduire (zoom out) le plan.
Pour agrandir, on clique sur .... et pour réduire sur le signe ....

2. Vous cherchez un parc. Cliquez sur « Tourisme » puis sur le mot « Parcs ». Combien de parcs il y a dans la liste ? ....

3. Cliquez sur « Jardin Augustin Thierry ».
Comment est-ce qu'on indique le parc cherché sur la carte ? ....

4. Agrandissez la carte pour mieux voir le parc. (Zoomez sur le parc.)
Quelle église se trouve tout près du parc ? ....

5. Pour voir une autre partie de la carte, vous pouvez cliquer sur la carte, ne pas lâcher le bouton de la souris et bouger la souris (= glisser).
Glissez la carte vers la droite. Qu'est-ce qui se trouve au bout de l'avenue Jean Laigret ?
....

6. Vous cherchez la rue de Normandie. Cliquez sur la lettre « n » (texte blanc sur fond vert).
Il y a combien de rues qui commencent par la lettre « n » ? ....

7. Cliquez sur « Normandie ». Agrandissez la carte pour voir la rue de Normandie. Elle se trouve près de quel stade ? ....

8. Vous cherchez une église. Vous cliquez sur quels mots [attention : les églises sont dans 2 rubriques !] ? .... et ....

---

9. Vous cherchez un restaurant. Cliquez sur « Restaurant », cliquez sur « Le Clipper ». C'est une brasserie. Comment le voyez-vous ? ....

10. Vous voulez avoir plus d'informations sur cette brasserie ? Cliquez sur « infos » dans la zone blanche, à droite du nom de la brasserie. Quelle est la journée de la fermeture hebdomadaire (FH) ? ....

 POUR ALLER À...

1. Allez sur le site **www.sosdriver.fr**
2. Cliquez sur **Pratique** (en bas de la page) puis sur le plan interactif de la ville de Blois.
3. Voici une conversation : un piéton demande comment aller de la gare au château et quelqu'un lui explique.
4. Consultez la carte et mettez les phrases dans le bon ordre.

a. Au bout de la rue, vous avez le château devant vous.
b. Continuez.
c. Devant vous, vous avez l'avenue Jean Loigret.
d. L'entrée du château est dans cette rue, en face de la Maison de la Magie.
e. Mais attention, il faut tourner à droite, prendre la rue de la Voûte du Château.
f. Prenez cette rue.
g. Vous passez devant l'Office de tourisme.
h. Vous sortez de la gare.

1	2	3	4	5	6	7	8
h							

28 **POUR ALLER À L'HÔTEL DE VILLE**

1. Allez sur le site **www.sosdriver.fr**
2. Cliquez sur **Pratique** (en bas de la page) puis sur le plan interactif de la ville de Blois.
3. Voici une conversation. Un piéton demande son chemin. Quelqu'un lui explique.
4. Consultez la carte !
5. Remplissez les trous : utilisez les verbes ci-dessous. Attention, il faut mettre les verbes à la deuxième personne du pluriel !

arriver | avoir | être | prendre | sortir | tourner | traverser |

Vous .... (a) garé ici, square Valin de la Vaissière. Vous .... (b) du parking et vous .... (c) à droite. C'est la rue Laurens. Au bout de la rue, vous .... (d) le rond point de la Résistance. Là vous .... (e) à gauche et vous prenez la deuxième rue, la rue Drussy. Vous .... (f) place Ave Maria. Vous la .... (g) et vous prenez rue des Papegaults. Au bout de la rue, vous avez l'hôtel de ville, en face de la cathédrale.

27. L'EAU

Thème : *Écologie, santé, hygiène*

SITE : www.cieau.com

Objectifs :
Compréhension écrite
Les nombres

---

29 **L'EAU DANS LA VIE DE TOUS LES JOURS**

1. Allez sur le site **www.cieau.com**
2. Choisissez la section **Junior**.
3. Dans la colonne de gauche, cliquez sur la rubrique **L'eau dans la vie de tous les jours**.
4. Pour lire un article de cette rubrique, cliquez sur le titre de l'article (colonne de gauche). Cherchez dans les articles de cette rubrique les nombres qui manquent dans les phrases suivantes.

a. Pour produire un kilogramme de maïs, il faut .... litres d'eau.

b. La production d'un kilogramme de riz (inondé) demande .... litres.

c. En France, une famille de 4 personnes consomme en moyenne .... litres d'eau par an.

d. À la maison, un Français consomme en moyenne .... litres d'eau par jour.

e. Prendre une douche de .... minutes consomme 60 à 80 litres d'eau.

f. Pour prendre un bain, il faut .... litres d'eau.

g. Pour laver sa voiture, un Français utilise jusqu'à .... litres d'eau.

h. Les enfants n'utilisent en moyenne que .... litres d'eau par jour.

i. Une école utilise chaque jour jusqu'à .... litres d'eau par élève.

j. L'eau que l'on boit ne représente qu' .... de la consommation totale d'eau du robinet !

---

80 **EAU, FORME ET SANTÉ**

1. Allez sur le site **www.cieau.com**
2. Choisissez la section **Junior**.
3. Dans la colonne de gauche, cliquez sur la rubrique **Eau, forme et santé**.
4. Dans cette rubrique, vous avez 5 articles. Pour lire un article, cliquez sur son titre dans la colonne de gauche.
5. Voici 15 phrases. Indiquez si c'est vrai ou faux. Si c'est faux, corrigez.

		V/F	correction
1.	Dans l'heure avant la compétition, il est important pour le sportif de boire un à trois verres d'eau.		
2.	En France, l'eau du robinet contient toujours exactement la même quantité de sels minéraux.		
3.	Il ne faut pas se laver chaque jour : c'est seulement nécessaire après un effort important.		
4.	L'eau des sources que l'on trouve dans la nature est la meilleure des boissons.		
5.	L'eau est indispensable pour préparer les aliments.		
6.	La boisson et la préparation des aliments ne représentent que 7 % de notre consommation totale en eau.		
7.	Le chlore utilisé dans l'eau potable présente un risque pour la santé.		
8.	Le corps d'un être humain adulte contient 60 % d'eau.		
9.	Les aliments les plus pauvres en eau sont les légumes frais, les fruits, le blanc d'œuf, le lait et les fromages frais.		
10.	Les aliments nous apportent une partie de l'eau dont nous avons besoin chaque jour.		
11.	Plus il fait chaud, plus il faut boire.		
12.	Pour la forme et la santé, il vaut mieux boire beaucoup d'un seul coup que souvent de petites quantités.		
13.	Quand on s'active beaucoup et qu'il fait chaud, il faut attendre d'avoir soif pour boire.		
14.	Se laver protège des maladies.		
15.	Un sportif peut perdre 2, 5 litres d'eau en une heure d'efforts intenses.		

81 | LA QUALITÉ DE L'EAU DU ROBINET

1. Allez sur le site **www.cieau.com**
2. Choisissez la section **Junior**.
3. Dans la colonne de gauche, cliquez sur la rubrique **La qualité de l'eau du robinet**.
4. Consultez les articles **Les eaux utilisées pour produire de l'eau potable,
La distribution de l'eau** et **Les grandes questions**.
Pour lire un article, cliquez sur son titre dans la colonne de gauche.

Dans les phrases suivantes, il y a un trou.

Mettez les mots manquants dans les phrases, puis remplissez la grille de mots croisés.

En France, 60 % de l'eau **[1]** .... est produite à partir des nappes souterraines.

40 % de l'eau potable est produite à partir d'eau pompée dans les fleuves, les **[2]** .... et les lacs.

L'eau à l'état naturel demande, presque partout en France, un **[3]** .... pour être bonne à boire.

Avant d'être utilisée pour produire de l'eau potable, l'eau à l'état naturel est « sélectionnée » : les eaux trop **[4]** .... dans la nature sont exclues.

Il y a deux sortes de pollution : la pollution chimique et la pollution par des **[5]** .... et des bactéries.

Contre ces pollutions, la meilleure arme, c'est la **[6]** ....

On ajoute une petite quantité de **[7]** .... à l'eau potable : c'est indispensable pour protéger la qualité de l'eau.

En France, le réseau de distribution de l'eau compte 600 000 kilomètres de **[8]** ....

Les consommateurs d'eau se posent de nombreuses questions à propos de la **[9]** .... de l'eau.

Le chlore utilisé dans l'eau potable ne présente aucun **[10]** .... pour la santé.

Toute eau naturelle contient des sels minéraux, comme le calcium et le **[11]** ....

La teneur en nitrates de l'eau potable est limitée à 50 **[12]** .... par litre.

Une eau sans microbes ni bactéries, c'est **[13]** .... pour la santé.

La qualité **[14]** .... de l'eau est très surveillée.

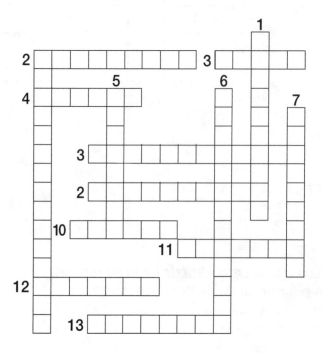

Horizontalement	Verticalement
2. [11]	**1.** [3]
3. [5]	**2.** [14]
4. [7]	**5.** [2]
8. [12]	**6.** [8]
9. [6]	**7.** [13]
10. [10]	
11. [1]	
12. [9]	
13. [4]	

28. 100 ANS D'AVIATION

Thème : *Les progrès de l'aviation*

<u>Sites</u> : www.lesclesjunior.com et le dictionnaire de www.tv5.org

Objectifs :
Compréhension écrite sélective
Expression des dates, des chiffres, du temps, de la distance
Vocabulaire

---

82 PLUS DE 100 ANS D'AVIATION

1. Allez sur le site **www.lesclesjunior.com**
2. Cliquez sur le 6e et dernier dossier, vert, en bas à gauche : **Archives**.
3. Choisissez la date du **18 janvier 2005** et cliquez sur **Afficher**.
4. Ouvrez l'article **Plus de 100 ans d'aviation** et complétez la grille.

	Dates	Noms des aviateurs et leur nationalité ou des avions	Ce qui s'est passé
1	En 1890		
2	En 1903		
3	En 1908	les Américains Wilbur et Orville Wright	
4	En 1909		
5	En 1927		
6	En 1947		Il passe le « mur du son », volant à Mach 1
7	En 1946		
8	En 1954		
9	En 1976		
10	En 1969		
11	Aujourd'hui (en 2005)		
12	Aujourd'hui (en 2005)		

83 UN PEU DE VOCABULAIRE

1. Consultez le dictionnaire de TV5 (voir activité 4, fiche 2).
2. Tapez les verbes et associez-les avec leur définition.

	Verbes		Définitions
1	Réussir	A	Mettre à exécution, réaliser, faire
2	Décoller	B	Passer à travers, passer d'un côté à l'autre
3	Effectuer	C	Toucher terre
4	Parvenir	D	Porter d'un lieu dans un autre
5	Traverser	E	Arriver quelque part, à destination, atteindre un but
6	Séparer	F	Recevoir une personne ou une chose
7	Atterrir	G	Effectuer un déplacement dans l'air (oiseau, avion, hélicoptère…)
8	Voler	H	Avoir un bon résultat. Avoir du succès. Réussir à, parvenir à
9	Accueillir	I	Désunir ce qui est uni. Mettre à part. Former une séparation entre. Diviser. Éloigner l'un de l'autre
10	Transporter	J	Quitter le sol

1	2	3	4	5	6	7	8	9	10
H									

84 LES SYNONYMES
Pour trouver les verbes de la grille…

1. Consultez le dictionnaire de TV5
(activité 4, fiche 2).
2. Tapez les verbes
et cliquez sur **Synonymes** :
c'est le premier de la liste.

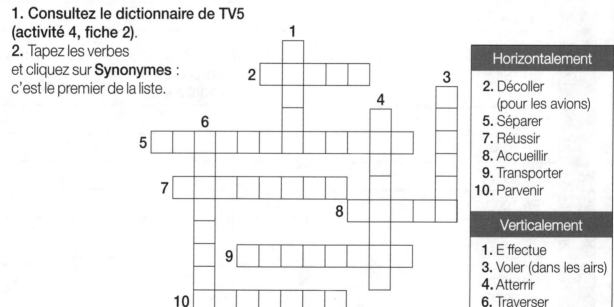

Horizontalement

2. Décoller
   (pour les avions)
5. Séparer
7. Réussir
8. Accueillir
9. Transporter
10. Parvenir

Verticalement

1. E ffectue
3. Voler (dans les airs)
4. Atterrir
6. Traverser

Thème : *Textos et sms*

SITES : www.alyon.org/InfosTechniques/informatique/smileys/
www.skynet.be
http://mobimelpro.com/mobimel/fr/accueil/my_dictionnaire-sms.asp
www.sos-sms.com/dico_sms.htm

Objectifs :
Compréhension écrite : comprendre un texto
Expression écrite : écrire un texte
La langue des jeunes
Utiliser un dictionnaire électronique

85 LES SMILEYS : DES MOTS CROISÉS DIFFÉRENTS !

1. On va découvrir les smileys. [Un smiley ou émoticon est un petit « dessin ». On le met dans un texto ou un courrier électronique (courriel) pour montrer ses sentiments].

2. Ouvrez la page **www.alyon.org/InfosTechniques/informatique/smileys**

3. Regardez les définitions des smileys. Cherchez les smileys qui vont avec la définition.

4. Mettez les smileys dans la grille de mots croisés.

Horizontalement

2. On fait un commentaire très peu amusant.
4. L'auteur a froid.
5. Smiley malicieux (qui aime s'amuser) et diabolique (méchant).
8. L'auteur est content d'être chez lui.
10. Smiley mécontent : l'auteur est négatif ou ennuyeux.
11. L'auteur écoute un baladeur (un walkman).

Verticalement

1. L'auteur vient de passer des heures devant son écran.
2. Smiley indifférent. L'auteur n'a pas d'opinion, ce n'est pas important.
3. Smiley diabolique (méchant) et sarcastique.
6. Smiley clignant de l'œil.
7. L'auteur est content de ne pas être chez lui.
9. L'auteur sourit.

86 | QUESTION ? RÉPONSE

1. Pour cet exercice, vous avez besoin de trois dictionnaires sms.
2. Ouvrez le site **http://mobimelpro.com/mobimel/fr/accueil/my_dictionnaire-sms.asp**
3. Dans une autre fenêtre, ouvrez le site **www.sos-sms.com/dico_sms.htm**
4. Dans une troisième fenêtre, ouvrez le site **www.skynet.be**
   a. Si le site est bilingue, cliquez sur FR.
   b. Puis à gauche, choisissez **GSM & Sonneries**.
   c. Puis à gauche choisissez **Services SMS**.
   d. Et finalement, choisissez **Dico SMS**.
5. Dans la première colonne, vous avez des questions, en « sms ».
6. Dans la deuxième colonne, il y a des réponses à ces questions.
7. Associez chaque réponse à sa question.

1	asv	a.	Cet après-midi, vers 4 heures et demie. Ça va ?
2	je t'm	b.	Demain ? Pas de problème.
3	kekina	c.	J'ai 17 ans, je suis un garçon et j'habite à Marseille.
4	kestufé	d.	Je fais mes devoirs et j'écoute la radio.
5	koi29	e.	Moi aussi, je t'aime.
6	pk ?	f.	Moi aussi. Super bien !
7	qd ?	g.	Non, pas du tout. Tu as raison. Mes excuses.
8	savapa ?	h.	Oh oui ! J'ai marché tout l'après-midi.
9	slt cv ? mjvb	i.	Parce que je ne me sens pas bien.
10	tkc ?	j.	Rien ! Et chez toi ?
11	Tpa fâché ?	k.	Rien. Je suis un peu malade c'est tout. Ce n'est pas grave !
12	tu vi1 2m'1	l.	Si. Mais je suis un peu fatiguée.

1	2	3	4	5	6	7	8	9	10	11	12

87 | LE MESSAGE

1. Pour cet exercice, vous avez besoin des trois dictionnaires sms de l'exercice précédent.
2. À l'aide de ces trois sites : traduisez ce message en « français normal »
G1ID. 7 AM, ma mR va HT des vêtements 4me. Tu vi1 avec ns ? rstp asap ! slt

....
....
....

30. LE PAIN EN FRANCE

Thème : *Le pain, son histoire, son importance*

SITES : www.espace-pain-info.com et le dictionnaire de www.tv5.org

Objectifs :
Compréhension écrite sélective
Dates, chiffres et pourcentages

88 | LES GRANDES DATES DU PAIN

1. Allez sur le site **www.espace-pain-info.com**
2. Allez ensuite dans la partie **Grand public** (en haut à gauche) et trouvez la partie **Histoire du pain**.
3. Dans la partie **Histoire du pain** cliquez sur **Le pain à travers l'histoire**.
4. En bas de la page trouvez : Voir tableau : **Les grandes dates du pain** et répondez aux questions.
5. Si vous avez des problèmes de vocabulaire, consultez le **dictionnaire de TV5 (www.tv5.org** puis en haut à gauche, cliquez sur **Langue française** et ensuite sur **le Dictionnaire**).

1. Depuis quand les hommes mangent-ils des céréales ?
....

2. Depuis quand on cultive les céréales en Égypte, au bord du Nil ?
....

3. À quelle date on parle du pain dans la Bible ?
....

4. Quand les premières boulangeries apparaissent à Rome ?
....

5. Qu'est-ce que les boulangers grecs apprennent aux Romains ?
....

6. Quand apparaissent les premiers moulins à eau en France ?
....

7. Et les premières boulangeries ?
....

8. À quelle date exacte les boulangers peuvent-ils travailler la nuit ?
....

9. En quelle année voit-on le retour des pains spéciaux et de campagne ?
....

10. Quelle est la date de la première fête du pain en France ?
....

1. Allez sur le site **www.espace-pain-info.com**
2. Dans la partie **Grand public** trouvez la partie **Chiffres clés**.
3. Cliquez sur **La consommation de pain** et transformez les chiffres en phrases en imitant le modèle.

Exemple : 1900 : 900 : En mille neuf cents, les Français mangent neuf cents grammes de pain par jour et par personne.

1. 1920 : En ...., les Français mangent ....
.... grammes de pain par jour et par personne.

2. 1950 : En ...., les Français mangent ....
.... grammes de pain par jour et par personne.

3. 1960 : En ...., les Français mangent ....
.... grammes de pain par jour et par personne.

4. 1970 : En ...., les Français mangent ....
.... grammes de pain par jour et par personne.

5. 1980 : En ...., les Français mangent ....
.... grammes de pain par jour et par personne.

6. 1990 : En ...., les Français mangent ....
.... grammes de pain par jour et par personne.

7. 1995 : En ...., les Français mangent ....
.... grammes de pain par jour et par personne.

Continuez avec la partie :
Consommation de pain en France (Sofres 2001)

Exemple : 98 % des Français consomment du pain = Quatre-vingt-dix-huit pour cent des Français consomment du pain.

8. 69 % des Français consomment du pain au petit déjeuner = ...
....

9. 86 % des Français considèrent que le pain est nécessaire à l'équilibre alimentaire = ...
....

10. 92 % des Français indiquent que le pain est un aliment sain = ...
....

90 | **LA JOURNÉE DU BOULANGER**

1. Allez sur le site **www.espace-pain-info.com**
2. Cliquez sur **Enfants** et sur **La journée de mon boulanger**.
3. Mettez les actions dans l'ordre chronologique et pour cela cliquez sur les aiguilles (en baguettes…) du réveil. Il y a parfois deux actions à la même heure.

	Les heures		Les actions	L'ordre
1	5 h du matin	A	Les premiers clients achètent des baguettes fraîches et des croissants.	1 + F
2	7 h 30	B	Le boulanger fait la sieste.	1 +
3	11 h	C	Tout le monde dort encore.	2 +
4	Jusqu'à 13 h	D	À la campagne il fait des livraisons (il vend le pain dans les fermes isolées).	2 +
5	14 h 30	E	Le boulanger travaille dans son fournil (l'endroit où il prépare et fait cuire le pain).	3 +
6	16 h	F	Le boulanger se lève à l'aube.	4 +
7	21 h	G	C'est l'ouverture de la boulangerie.	5 +
		H	Les clients se donnent le tour (comme ils sont nombreux, ils font la queue, ils attendent leur tour).	6 +
		I	Le boulanger va se coucher : il doit se lever à l'aube.	7 +

31. L'ARGENTINE

Thème : *Présenter un pays*

Site : www.partir.com/argentine

Objectifs :
Compréhension écrite sélective
Expression écrite : présenter son pays avec un texte modèle
Écrire les chiffres

 PRÉSENTATION

1. Allez sur le site **www.partir.com/argentine**
2. Lisez la première partie : **Présentation** et répondez aux questions.

1. L'Argentine est située en Amérique du Sud. Dans quelle partie exactement ?
....

2. Quelle est sa superficie (l'étendue, la surface) ? Écrivez-la en lettres.
....

3. Quelle est la superficie des Malouines (ou Falklands) et du territoire antarctique argentin ? Écrivez-la en lettres.
....

4. Quels pays se trouvent au nord ? Et quelle est leur capitale ? (Si vous ne savez pas, cliquez sur les liens qui sont en bleu et <u>soulignés</u>).
....

5. Quels pays se trouvent à l'est ? Et quelle est leur capitale ?
....

6. Quels océans se trouvent au sud ?
....

7. Quel pays se trouve à l'ouest ? Et quelle est sa capitale ?
....

8. Quelles personnes ont donné le nom « Argentine » au pays ?
....

9. Qui les accueille dans la région du Rio de la Plata ?
....

10. Que ces personnes leur offrent-elles ?
....

92 LECTURE RAPIDE

Lisez rapidement le reste du texte et dites dans quelle partie on trouve l'information de la grille. Par exemple, l'information **La monnaie est le peso divisé en 100 centavos** se trouve dans la partie **Monnaie**. Si vous ne comprenez pas chaque mot ce n'est pas grave… Continuez… Il y a 7 parties :

1. Les Andes – **2.** Le Nord tropical et la Mésopotamie – **3.** La Pampa – **4.** La Patagonie et la Terre de Feu – **5.** La population – **6.** Le gouvernement – **7.** La monnaie

	L'information ci-dessous se trouve…	dans la partie…
1	La Pampa est une vaste plaine et mesure 650 000 km.	
2	La ville d'Ushuaia est la plus australe (la plus au sud) du monde.	
3	Il y a 34 millions d'habitants.	
4	En Argentine on trouve le plus haut sommet du continent américain, l'Aconcagua qui culmine à 6 959 m.	
5	La plupart des habitants sont originaires d'Europe.	
6	La monnaie est le peso divisé en 100 centavos.	La monnaie
7	Les métis représentent 5 % de la population.	
8	Les chutes d'Iguaçu à la frontière avec le Brésil et le Paraguay sont spectaculaires.	
9	Buenos Aires, la capitale, compte environ 11 millions d'habitants.	
10	Il y a 23 provinces plus la capitale fédérale.	
11	Il y a encore 200 000 Indiens, essentiellement dans les provinces du Nord-Ouest.	
12	Les immigrants les plus nombreux ont été les Italiens, les Espagnols, les Allemands. Il y a eu aussi des Yougoslaves, des Français (des Basques surtout) et des Britanniques.	

93 PRÉSENTER UN PAYS À L'ÉCRIT

Avec les informations ci-dessus, complétez le texte qui présente l'Argentine.

L'Argentine est située au sud de l'Amérique du Sud. Sa (1) .... est de (2) .... km². Il y a environ (3) .... millions d'habitants. Sa (4) .... est Buenos Aires où il y a (5) .... millions d'habitants.

L'Argentine est (6) .... au nord par la (7) .... et le (8) ...., à (9) .... par le Brésil, l'(10) .... et l'Océan Atlantique, au (11) .... par l'Océan Atlantique et l'Océan (12) .... et à l'est par le Chili. La (13) .... est constituée d'(14) ....

(200 000), de (15) .... (5 % de la population) et d'immigrés (Italiens, Espagnols, Allemands, Yougoslaves, Français, Britanniques...).
On compte quatre grandes (16) ...., le Nord (17) .... et la Mésopotamie, la Pampa, les Andes, la Patagonie et la (18) .... de Feu.
Le pays est (19) .... en 23 (20) .... plus la capitale fédérale.

Présentez ensuite votre pays avec le même modèle.

Mon pays est situé en ....
Sa .... est de .... km^2. Il y a environ .... millions d'habitants. Sa .... est .... où il y a .... millions d'habitants.
Mon pays est .... au nord par ...., à .... par ...., au .... par .... et à l'est par ....
La .... est constituée d' ...., de .... et de ....
On compte .... grandes ...., ...
Le pays est .... en ....

32. LE CAMPING

Thème : *Tourisme*

SITE : www.ffcc.fr

Objectifs :
Navigation sur un site, manipulation des menus
Lecture globale
Recherche d'informations dans un texte

94 **DÉCOUVERTE DU SITE**

1. Allez sur le site **www.ffcc.fr**

2. Suivez le parcours proposé et répondez aux questions. [page d'entrée].

1. La F.F.C.C., qu'est-ce que c'est ? La ....

Cliquez sur « Campeurs » dans le menu en haut de la page, puis sur « présentation ».

2. La F.F.C.C a été créée en quelle année ? En ....

3. Elle regroupe combien de clubs ? ....

Dans la colonne de gauche, cliquez sur « avantages ».

4. Combien coûte la carte multi-avantages pour un couple et ses enfants de moins de 18 ans ? ....

Dans cette page cliquez sur « réductions ».

5. Quelle est la réduction sur les entrées au Grand Parc du Puy du Fou ? .... %

Dans le menu à gauche, cliquez sur « campings ». Cherchez le lien « campings gérés par la F.F.C.C. »

6. Quel est le nom du camping à Pontarlier ? ....

Dans le menu à gauche, cliquez sur « FAQ », puis choisissez « généralités ».

7. Pour un terrain 3 étoiles, la superficie minimale d'une place est de combien de m^2 ? ....

Dans le menu en haut, cliquez sur « clubs ».

8. Chaque club fixe le prix de sa cotisation. Combien coûte la cotisation ? entre .... € et
.............€.

Dans le menu en haut, cliquez sur « rassemblements en voyages ».

9. Les rassemblements et sorties sont organisés pendant quels mois ? ....

Dans le menu en haut, cliquez sur « professionnels ». Puis, à gauche, cliquez sur « journalistes ».

10. La rubrique « Actualité » regroupe 3 rubriques. Lesquelles ? ....

À gauche, cliquez sur « publications ».

11. Une des publications s'appelle L'OT. Que signifie : OT ? ....

1. Allez sur le site **www.ffcc.fr**
2. Repérez la rubrique (verte) **Campings en France** et cliquez sur **Camping**.
3. Choisissez **Campings F.F.C.C.**
4. Visitez les pages des 11 campings et remplissez la grille selon l'exemple.
5. Pour la colonne **à visiter**, choisissez dans la liste qui suit le tableau à remplir.

Camping	ouverture	emplacements tourisme	superficie	étoiles	lieu	à visiter
Camping de l'Amitié	*toute l'année*	151	2 ha	2	*St. Laurent Nouan*	b
La grande Motte						
La montagne verte						
La Plage						
Le Larmont						
Les Acacias						
Les Cigales						
Les Rives du Lac						
Les Salettes						
Les Ubacs						
Saverne						

a. Annecy dite « la ville d'Art »
b. Chambord, son majestueux château, son parc et sa faune sauvage (cerfs, biches, sangliers…)
c. Châteaux-Arnoux : son château Renaissance, son arboretum, la colline Saint Jean au cœur d'une pinède et sa chapelle du xve siècle…
d. Colorado provençal
e. Digne et sa réserve géologique
f. Gorges du Verdon, gorges d'Oppedette, gorges de Trévans
g. L'Écomusée d'Alsace
h. La forêt de la Joux, l'une des plus belles sapinières de France
i. La Saline royale d'Arc et Senans.
j. Le majestueux château du Haut Barr
k. Le palais Rohan qui abrite le musée des Arts Décoratifs, le musée des Beaux-Arts ainsi que le Musée archéologique
l. Le parc de l'Orangerie, le Jardin botanique, le parc de la Citadelle, les bords de l'Ill
m. Le Parc naturel des Vosges du Nord
n. Le saut du Doubs, magnifique cascade

o. L'Observatoire régional des lacs alpins
p. Nombreuses manifestations du Haut-Doubs (Championnats de V.T.T., Trace et Transjurassienne, tours cyclistes…)
q. Plateau et prieuré de Ganagobie
r. Point de départ idéal vers la Camargue, la Provence, les Cévennes
s. Possibilité de rayonner très facilement vers la Suisse ou l'Allemagne. Bâle et Fribourg se trouvent à moins d'une heure

96 | ON DONNE LES ÉTOILES

1. Allez sur le site **www.ffcc.fr**.
2. Cliquez sur **Campeurs**, puis **FAQ** puis **Réglementation**.
3. Cherchez la rubrique **Les normes des terrains aménagés**.
4. Dans le tableau ci-dessous, indiquez la qualité du camping : mettez une croix dans la colonne correspondante à 1, 2, 3 ou 4 étoiles.

		*	**	***	****
1.	À l'accueil, on parle au moins deux langues étrangères dont l'anglais.				
2.	Il n'y a pas de terrains de jeux équipés.				
3.	Il n'y a pas de WC pour enfants.				
4.	Il y a un gardien pendant le jour mais pas pendant la nuit.				
5.	Il y a un lieu de rencontre et d'animation.				
6.	Il y a une place de parking à l'entrée.				
7.	La superficie minimale d'un emplacement est de 80 m^2.				
8.	Les parties communes et les postes de sécurité ne sont pas éclairés la nuit.				
9.	On a la possibilité de déposer des objets de valeur au bureau.				
10.	Par jour et par emplacement, on a droit à 200 litres d'eau.				
11.	Pour 100 personnes, on a 6 douches chaudes en cabines individuelles avec séparation et un coin déshabillage.				
12.	Sur le terrain, il y a une décoration florale.				
13.	Tous les emplacements portent un numéro.				

33. IMAGES DE FRANCE

Thème : *Géographie / la France*

Site : www.francevuesurmer.com/

Objectifs :
Description d'image
Géographie de la France : les régions

 LES RÉGIONS

1. Allez sur le site **www.francevuesurmer.com**
2. Entrez (dans la barre à droite **Les Photos**) dans la rubrique **Photos**.
3. Dans la fenêtre principale, à gauche, vous voyez la carte de la France.
4. Vous suivez – avec votre souris – la côte de la France du nord au sud, de la Belgique en Espagne. Vous voyez de petites vignettes avec les noms des régions et le nombre de photos publiées sur le site.
5. Dans la première colonne du tableau ci-dessous, notez les régions dans l'ordre (du nord au sud).
6. Dans la deuxième colonne, notez pour chaque région combien il y a de photos.

Région	Nombre de photos

a. Aquitaine. **b.** Basse Normandie. **c.** Bretagne. **d.** Haute Normandie. **e.** Nord-Pas de Calais. **f.** Pays de Loire. **g.** Picardie. **h.** Poitou-Charentes.

98 | QUELLE VILLE, QUELLES PHOTOS, QUELLE RÉGION ?

1. Sur le même site, dans la même rubrique. À droite, en bas, il y a un petit moteur de recherche.
2. Tapez le nom d'une localité du tableau (de I à XII) et cliquez sur **OK**.
3. En haut de la page, au milieu vous voyez **Résultats de votre recherche.**
4. Cliquez sur le nom cherché. Dans la barre bleue, vous voyez le nom et la région.
5. Dans la fenêtre principale, vous voyez des photos. Il y a des flèches (@ et #) pour aller à la page suivante ou précédente.
6. Dans le tableau ci-dessous, associez chaque localité de la première colonne à la description d'une photo de la deuxième colonne et à sa région (la troisième colonne).

I. Ajaccio	1.	deux voiliers, catamaran blanc et bleu, vagues	a.	Aquitaine
II. Cap du Dramont	2.	fort, 1 bateau, voilier	b.	Basse Normandie
III. Dieppe	3.	grand bateau, voilier, 3 mâts	c.	Basse Normandie
IV. Dunkerque	4.	maisons de vacances, plage, mer	d.	Bretagne
V. Fort Boyard	5.	montagnes, bateaux, île avec une tour, ciel bleu	e.	Corse
VI. Golfe du Morbihan	6.	montagnes, port de plaisance, 2 cheminées, ciel nuageux	f.	Haute Normandie
VII. Guernsey Vazon Bay	7.	petite île, abbaye, église	g.	Languedoc-Roussillon
VIII. La grande Motte	8.	petite île, phare blanc, rochers	h.	Nord-Pas de Calais
IX. Le Crotoy	9.	plage, beaucoup de bateaux, grande forêt	i.	Pays de Loire
X. Les Jacquets	10.	pont, rivière, Loire	j.	Picardie
XI. Mont-Saint-Michel	11.	usines, cheminée, fumée, bateau bleu	k.	Poitou-Charentes
XII. Pont de Noirmoutier	12.	ville, petit port de plaisance, 2 rangées de bateaux	l.	Provence-Alpes-Côte d'Azur

I	II	III	IV	V	VI	VII	VIII	IX	X	XI	XII
6											
e											

Une dizaine de mots dans la description des photos sont repris dans les mots croisés.

Horizontalement	Verticalement
2. Haute tour qui a en haut une lumière très forte pour guider les bateaux. **6.** Bâtiment où vivent des religieux catholiques. **7.** Longue pièce de bois ou de métal qui porte les voiles d'un bateau. **8.** Des choses sur une même ligne. **9.** Bâtiment où les chrétiens vont pour prier.	**1.** Sorte de voilier qui va très vite. **2.** Qui sert seulement au plaisir. **3.** Un bateau à voiles. **4.** Un grand bois. **5.** Pour évacuer la fumée : elle se trouve sur le toit.

34. LES FRANÇAIS ET LE BONHEUR

Thème : *Un sondage sur le bonheur*

SITE : www.tns-sofres.com

Objectifs :
Expression des chiffres, des pourcentages, des dates
Vocabulaire

 PLUS HEUREUX OU PLUS MALHEUREUX ?

1. Allez sur le site **www.tns-sofres.com**
2. Cliquez sur **Archives** (en bas à gauche) et choisissez **Par thème**.
3. Ensuite, cliquez sur **Styles de vie**.
4. Choisissez l'année **2004** et ouvrez l'enquête du **28 octobre 2004 : Les Français et le bonheur**.
5. En bas de la page cliquez sur **Voir l'ensemble des résultats de cette étude...** Regardez les **deux premières questions** et complétez le tableau. (Dans les tableaux de la SOFRES, un institut de sondage, ST signifie = sous-total.)

1. En quelle année les Français ont été le plus « très heureux » ? Avec quel pourcentage ?
....

2. En quelle année les Français ont été le plus « plutôt malheureux » ? Avec quel pourcentage ?
....

3. En quelle année les Français ont été le plus « plutôt heureux » ? Avec quel pourcentage ?
....

4. En quelle année les Français ont été le plus « plutôt malheureux » ? Avec quel pourcentage ?
....

5. En quelle année le sous-total « Très heureux » + « Plutôt heureux » est-il le plus élevé ?
....

6. En quelle année le sous-total « Plutôt malheureux » + « Très malheureux » est-il le plus élevé ?
....

7. En quelle année le sous-total « Très heureux » + « Plutôt heureux » est-il le moins élevé ?
....

8. En quelle année le sous-total « Plutôt malheureux » + « Très malheureux » est-il le moins élevé ?
....

9. En quelle année les Français ont été les plus heureux ?
....

10. En quelle année les Français ont été les moins heureux ?
....

LES ÉLÉMENTS DU BONHEUR

Regardez maintenant la question suivante : Dans la liste suivante, quelles sont les choses qui vous rendent personnellement le plus heureux aujourd'hui ? et faites correspondre les réponses avec leur définition. Les définitions sont celles du dictionnaire de la langue française de **www.tv5.org** (voir activité 4, fiche 2)

	Réponses		Définitions
1.	Une famille unie	A	Les compagnons, les copains, les gens qu'on aime
2.	Les enfants	B	Un travail qui rend heureux, ouvert
3.	Une bonne santé	C	La richesse
4.	L'amour	D	La croyance religieuse
5.	Les amis	E	Un groupe avec le père, la mère et les enfants où tout se passe bien, sans divorce, sans problème
6.	Les activités de loisirs, les sorties	F	Le sentiment qui nous entraîne vers quelqu'un
7.	Une vie professionnelle épanouie	G	Une occupation légère et agréable, un violon d'Ingres, un hobby
8.	La pratique d'un sport	H	Disposer de temps pour son plaisir personnel, égoïste
9.	L'argent	I	Synonyme de : progéniture, petit, bébé, gamin, gosse, descendant, nourrisson…
10.	Avoir le temps de s'occuper de soi	J	Avoir l'habitude de pratiquer des exercices physiques
11.	La foi, le fait de croire en Dieu	K	Sortir, se promener pendant le temps libre en dehors du travail
12.	Pratiquer un passe-temps	L	Le fait de ne pas être malade

1	2	3	4	5	6	7	8	9	10	11	12

CE QUI MANQUE

Regardez maintenant la question suivante : Qu'est-ce qui vous manque pour être heureux ?

Avec la liste de ce qui manque aux Français, remplissez la grille.

Horizontalement	Verticalement
3. Le même sens que : une habitation.	**1.** C'est le mot utilisé pour dire qu'on croit en Dieu.
5. En France, c'est l'euro.	**2.** Un nom masculin : il passe trop vite.
6. Ce sont plus que des copains.	**4.** Un boulot, le contraire du chômage.
7. Un garçon ou une fille.	**9.** Une situation, une occupation, un gagne-pain.
8. Un homme et une femme.	**10.** Entre deux personnes, un sentiment très fort.
11. Un verbe, le contraire de se taire.	
12. Un adjectif qui signifie : qui sert à quelque chose.	

35. L'ARGENT

Thème : *Histoire de l'argent (français)*

SITE : www.monnaiedeparis.fr/

Objectifs :
Histoire de l'argent
Vocabulaire du collectionneur de pièces d'argent
Adjectifs de nationalité

 À CHAQUE EURO, SON SYMBOLE

1. Allez sur le site **www.monnaiedeparis.fr**
2. Entrez (dans la barre en haut : **Nos Espaces**) dans l'espace **Jeunes** puis dans **La monnaie pour apprendre**.
3. Cliquez sur **Les pièces de monnaie** puis sur **Les pièces en euro qui circulent depuis 2002 classées par pays**.
4. Dites si les affirmations suivantes sont vraies ou fausses en cliquant sur chaque pays. Si vous mettez F pour « faux », indiquez les réponses exactes dans la colonne « correction ».

		V/F	correction
1.	Comme face nationale, la pièce espagnole de 0,01 € a une cathédrale.		
2.	En Irlande, à droite de la Harpe, il y a le mot Eire, le nom du pays.		
3.	La face nationale de la pièce autrichienne de deux euros est le portrait de Mozart.		
4.	La face nationale grecque de la pièce d'un euro est une image antique.		
5.	La Finlande n'a pas de pièce de 1 cent.		
6.	La pièce belge de 2 € est le portrait du Roi Albert II, sans lunettes.		
7.	La pièce d'un euro de Monaco représente un prince, la pièce de deux euros deux princes.		
8.	La pièce italienne d'un euro représente un homme nu.		
9.	La reine des Pays-Bas s'appelle Beatrix. Elle est sur toutes les faces nationales de son pays.		

		V/F	correction
10.	Le nom du pays des pièces luxembourgeoises est en allemand ou en français.		
11.	Les armoiries de la République de Saint-Marin se trouvent sur la face nationale de deux euros.		
12.	Les pièces de l'Allemagne ont 3 faces nationales différentes.		
13.	Les pièces françaises ont toutes les lettres « RF » [République française].		
14.	Toutes les pièces du Vatican ont une face nationale différente.		
15.	Toutes les pièces portugaises portent un symbole royal d'Alphonse Henriques.		

LE MUSÉE DE LA MONNAIE FRANÇAISE
Sur le même site, visitons le musée…

1. Cliquez sur le lien **Musée** (en haut à côté de : **Jeunes**).
2. Au milieu de la page **Visiter l'Hôtel de la monnaie** cliquez sur **Visite virtuelle du musée**.
3. Répondez aux questions qui se trouvent dans l'ordre chronologique.

1. Quelle était l'unité monétaire des Parisii ?
....

2. Le sesterce au nom de Tibère porte un élément français. De quelle ville ?
....

3. « KAROLVS » est le monogramme de quelle personnalité ?
....

4. Dans quel atelier est frappé le denier tournois émis par Philippe Auguste ?
....

5. Quelle est la valeur du gros tournois en argent ?
....

6. Quel symbole utilise Louis XI ?
....

7. Le mot « teston » vient de l'Italien. De quel mot ?
....

8. Qui a réalisé la médaille de Catherine de Médicis ?
....

9. Quel Louis réforme le système monétaire en 1640 ?
....

10. En 1795, le franc remplace une autre unité monétaire. Laquelle ?
....

11. Qui crée l'image de la Semeuse ?
....

12. L'euro circule depuis quand ?
....

JE COLLECTIONNE...

Collectionner la monnaie, ça s'apprend. Découvrez le vocabulaire, apprenez à regarder une pièce.

1. Entrez (dans la barre en haut : **Nos Espaces**) dans l'espace **Jeunes**.

2. Trouvez la partie : **La monnaie pour collectionner** et cliquez sur **Petit lexique monétaire en image**.

3. Les définitions vous aident à trouver les mots des mots croisés.

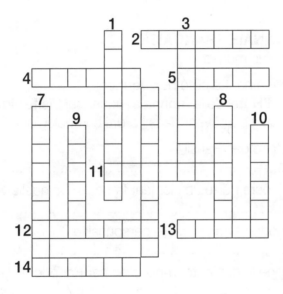

Horizontalement	Verticalement
2. Bordure, la partie soulevée qui entoure le périmètre de la pièce.	**1.** Ensemble des opérations permettant de transformer des métaux en monnaies.
4. Coloration d'une médaille, d'une monnaie ou d'un bronze d'art.	**3.** En général, toute pièce de monnaie émise avant l'an 500 de notre ère est une monnaie...
5. Surface plane et lisse d'une médaille ou d'une pièce extérieure au sujet.	**6.** Les monnaies... : on les utilise pour payer les achats de tous les jours.
11. Un artiste. Il taille directement dans l'acier les motifs de gravure d'une monnaie ou d'une médaille.	**7.** Une sorte de signature : le symbole gravé sur une monnaie identifiant le graveur.
12. L'image qu'on retrouve sur l'avers de la pièce.	**8.** Instrument utilisé pour la fabrication des monnaies ou des médailles gravé en creux.
13. Face d'une monnaie ou d'une médaille qui porte le motif de gravure principal.	**9.** L'image soulevée ou tridimensionnelle qu'on retrouve sur le champ de la pièce.
14. Quantité totale d'exemplaires produits pour une monnaie ou une médaille.	**10.** Le côté « pile » d'une pièce

36. LES JOURS FÉRIÉS

Thème : *Jours fériés et fêtes en France*

Sites : www.docmeno.com / www.linternaute.com / www.joyeuse-fete.com
http://home.tele2.fr/renorthodoxe/mode_calcul.htm /

Objectifs :
   Compréhension écrite sélective
   Les dates
   Civilisation

 LES JOURS FÉRIÉS EN FRANCE

1. Allez sur le site **www.docmeno.com**
2. À gauche, cliquez sur **Dates et heures** puis sur **jours fériés**.
3. Écrivez la date : 2006.
4. Faites correspondre les jours et les dates.

	Les jours fériés en France		Les dates
1.	Jour de l'an	A	1er mai
2.	Pâques et Lundi de Pâques catholiques	B	25 décembre
3.	Fête du Travail	C	14 juillet
4.	Ascension catholique	D	15 mai
5.	Fête de la Victoire	E	1er novembre
6.	Pentecôte catholique (jusqu'en 2005, le lundi était férié. Depuis, il peut être travaillé)	F	1er janvier
7.	Fête nationale	G	11 novembre
8.	Assomption	H	jeudi 25 mai 2006
9.	Toussaint	I	dimanche 16 et lundi 17 avril 2006
10.	Armistice 1918	J	15 août 2006
11.	Noël	K	8 mai

1	2	3	4	5	6	7	8	9	10	11

Il y a trois sortes d'événements : les jours internationaux, les jours historiques de la France, les fêtes religieuses catholiques. Classez les jours selon leur nature :

1. Jours internationaux (2) : ....

....

2. Jours historiques français (3) : ....

....

3. Jours catholiques (6) : ....

....

107 LE PROBLÈME DE PÂQUES

1. Allez maintenant sur le site **www.linternaute.com**

2. Tapez **Jours fériés** dans la zone de recherche : **Rechercher**.

3. Cliquez sur **Agenda 2005** puis dans **L'Agenda Infos pratiques** sur la partie **Les jours fériés et le passage à l'heure d'hiver/d'été** et comparez la date de Pâques et de l'Ascension 2005 avec celles de 2006.

4.

	2005	2006
Pâques		
Ascension		

Eh oui, Pâques est une fête mobile (la date change chaque année) comme l'Ascension et la Pentecôte. Pour comprendre, allez sur le site

http://home.tele2.fr/renorthodoxe/mode_calcul.htm et répondez aux questions :

1. Qui est Carl Friedrich Gauss ?

....

2. En quelle année est-il né et en quelle année est-il mort ?

....

3. Quand est célébrée la fête de Pâques pour les chrétiens ?

....

4. Qu'est-ce que c'est l'équinoxe ? (Consultez le dictionnaire de TV5.)

....

5. Quand la fête de Pâques arrive le plus tôt et le plus tard ?

....

(Si vous voulez calculer, bon courage !)

LES JOURS DE FÊTES NON FÉRIÉS

Il y a des fêtes non fériées. Pour les connaître :

1. Allez sur le site **www.joyeuse-fete.com**
2. Ouvrez les liens sous le titre au centre de la page d'accueil.
3. Faites correspondre sa date, ses objets ou ses personnes à chaque fête.

			Objets ou Personnes			**Dates**
1.	L'Épiphanie	A	Les amoureux, les cadeaux	I	8 février
2.	La Chandeleur	B	La citrouille, les enfants, les sorciers, les chauves-souris	J	En mai ou en juin
3.	Mardi gras	C	Des cadeaux, des fleurs, du parfum…	K	Le 6 décembre
4.	La Saint-Valentin	D	Les petits enfants,	L	Le 31 octobre
5.	Fête des mères	E	La galette des rois, les Rois Mages, les cadeaux	M	En juin
6.	Fête des pères	F	Le carnaval	N	Le 14 février
7.	Halloween	G	Les crêpes	O	Le 8 janvier
8.	La Saint-Nicolas	H	Des cadeaux, des livres, des disques.	P	Le 2 février

1	2	3	4	5	6	7	8
					H		
O							

37. LES COURSES HIPPIQUES

Thème : *Les chevaux, les champs de course*

SITE : www.france-galop.com

Objectifs :
Vocabulaire : les courses de chevaux
Lecture globale et sélective
Recherche d'informations dans un texte
La comparaison

LES COURSES

1. Allez sur le site **www.france-galop.com**
2. Dans le menu de gauche, cliquez sur **Les coulisses des courses**.
3. Repérez le titre **Sommaire**.
4. Cliquez sur **Les spécialités**, **L'avant et l'après course** ou **Le lexique** pour trouver les mots manquants dans les phrases.

1. Après la course, les sept premiers chevaux sont réunis dans les ....

2. Chaque propriétaire de chevaux a ses .... qui sont toujours les mêmes (deux à trois maximum) ; elles sont reprises sur la casaque et la toque du jockey.

3. La distance classique du plat est de .... mètres.

4. Le .... est le sportif qui monte le cheval en course.

5. Le galop et le trot sont les deux .... des courses françaises.

6. Les chevaux arrivent au champ de course par ...., par van ou par de grands bus.

7. Les courses comportent deux spécialités : le .... et le ....

8. On dit qu'un cheval est .... lorsqu'il arrive parmi les premiers à l'arrivée.

9. Pendant une course à ...., on égalise les chances, en prenant en compte les valeurs et les performances des chevaux.

10. Plus d'une heure avant la compétition, le cheval sort de son ....

11. Une fois arrivé sur place, le cheval est ....

LES HIPPODROMES

1. Allez sur le site **www.france-galop.com**
2. Dans le menu de gauche, cliquez sur **Les hippodromes**.
3. Repérez le titre **Fiches hippodromes**.
4. Cliquez sur **Pôles nationaux**.
5. Consultez les fiches des hippodromes de la liste suivante. Le nom de la ville est suivi du numéro du département : Vichy (03), Toulouse (31), Nantes (44), Agen (47), Compiègne (60), Strasbourg (67), Vincennes (75) et Vittel (88).
6. Cherchez les informations demandées dans les phrases (utilisez l'« ascenseur » à droite). Notez les réponses en chiffres.
Puis, choisissez la bonne forme de la comparaison : choisissez parmi les mots entre [ ].
Notez les mots dans les phrases.

1. L'hippodrome de Strasbourg est de .... hectares. Celui de Nantes de .... ha. À Toulouse, il est de .... hectares, à Vincennes de .... hectares et à Vichy il est de .... hectares.

L'hippodrome de Nantes est [plus/aussi/moins] .... grand que celui de Vincennes.

L'hippodrome de Strasbourg est [plus/aussi/moins] .... grand que celui de Vincennes.

L'hippodrome de Nantes est [plus/aussi/moins] .... grand que celui de Toulouse.

L'hippodrome de Vichy est [le plus/le moins] .... grand.

L'hippodrome de Toulouse est [le plus/le moins] .... petit.

2. À Vichy, il y a .... boxes, à Vittel, il y en a .... À Vittel il y a [plus/moins/autant] .... de boxes qu'à Vichy.

3. Pour un jeune de 15 ans, l'entrée à l'hippodrome de Vichy coûte .... euros. À Toulouse, l'entrée est de .... euros.

L'entrée à Vichy est [plus/aussi/moins] .... chère qu'à Toulouse.

L'entrée à Toulouse coûte [plus/moins/autant] .... qu'à Vichy.

À Nantes, un jeune de 15 ans paie .... euros.

Nantes est [le plus/le moins] .... cher.

4. À Agen, il y a un parking pour .... voitures. À Toulouse, il y a un parking pour .... voitures. À Compiègne, il y a un parking pour .... voitures.

Le parking de Compiègne est [le plus/le moins] .... grand, il est le plus|moins petit.

Le parking d'Agen est [le plus/le moins] .... grand.

5. À Agen, on peut avoir .... spectateurs assis, à Toulouse ...., à Vichy ...., à Vittel .... et à Nantes ....

Agen peut recevoir [plus/moins/autant] .... de spectateurs assis que Nantes.

Vichy peut recevoir [plus/moins/autant] .... de spectateurs assis que Nantes.

Vichy peut recevoir [plus/moins/autant] .... de spectateurs assis qu'Agen.

Agen peut recevoir [le plus/le moins] .... de spectateurs assis.

Vittel peut recevoir [le plus/le moins] .... de spectateurs assis.

LES MÉTIERS DES COURSES

1. Allez sur le site **www.france-galop.com**
2. Dans le menu de gauche, cliquez sur **Les métiers des courses**.
3. Cherchez les métiers de la première colonne.
4. Associez le métier à la petite description (selon le modèle).

1.	Le directeur de réunion	a.	Il doit voyager avec les chevaux. Il accompagne les chevaux jusqu'aux hippodromes.
2.	Le garçon de voyage	b.	Il donne le départ : il lance la course.
3.	Le handicapeur	c.	Il est chargé de la préparation physique et mentale du jeune cheval.
4.	Le jockey	d.	Il est le bras droit de l'entraîneur. Souvent, il s'agit d'un ancien jockey ou d'un ancien entraîneur.
5.	Le maréchal-ferrant	e.	Il est le médecin sportif du cheval.
6.	Le palefrenier-soigneur	f.	Il est responsable du respect des règles d'organisation des compétitions et des horaires.
7.	Le premier garçon	g.	Il s'occupe du cheval, de sa nourriture, de son hygiène et de sa santé pour les premiers soins.
8.	Le reboucheur de trous	h.	Son but : maintenir la qualité de la piste en herbe course après course…
9.	Le starter	i.	Souvent, il est ancien jockey ou ancien entraîneur. Il juge les capacités de chaque cheval : plus un cheval est bon, plus de poids il doit porter.
10.	Le vétérinaire	j.	Sportif de haut-niveau, léger (moins de 51 kilos) qui « conduit » le cheval pendant les courses.
11.	L'entraîneur	k.	Toutes les trois semaines, il change le fer des chevaux.

1	2	3	4	5	6	7	8	9	10	11
F										

38. DÉMÉNAGER !

Thème : *Les meubles, les pièces, le déménagement*

SITE : www.seloger.com

Objectifs :
Vocabulaire de la maison : les pièces et les meubles
Compréhension écrite : des consignes et des conseils
Recherche ciblée d'informations

 DANS QUELLE PIÈCE ?

1. Entrez dans le site **www.seloger.com**
2. Dans la barre en haut de la page, cliquez sur **Emménager**.
3. Cliquez sur le titre **Déménagement** en caractères rouges.
4. Repérez le texte Estimez le prix de votre déménagement – Étape 1 – Calculez votre volume, cliquez sur le lien **calculateur**.
5. Dans le tableau, indiquez pour chaque meuble dans quelle(s) pièce(s) il est mentionné (1 pièce minimum, 5 pièces maximum).

		La chambre adulte	La chambre enfants	Le salon	La salle à manger	La salle de bains	La cuisine	Le bureau
1.	une armoire		x					
2.	une bibliothèque							
3.	un buffet							
4.	un bureau							x
5.	une chaise							
6.	une commode							
7.	un fauteuil							
8.	un four							
9.	une glace							
10.	un lampadaire							
11.	un lit double							
12.	un lit simple							
13.	une pharmacie							
14.	une table							
15.	un tableau							

113 | C'EST QUOI, CE MEUBLE ?

1. Entrez dans le site **www.seloger.com**
2. Dans la barre en haut de la page, cliquez sur **Emménager**.
3. Cliquez sur le titre **Déménagement** en caractères rouges.
4. Repérez le texte Estimez le prix de votre déménagement – Étape 1 – Calculez votre volume, cliquez sur le lien **calculateur**.
5. Voici quelques définitions. Trouvez le meuble associé à la définition. Vous mettez ces mots dans la grille. Alors, de haut en bas, vous pouvez découvrir un mot qui désigne un petit meuble : on s'assied dessus.

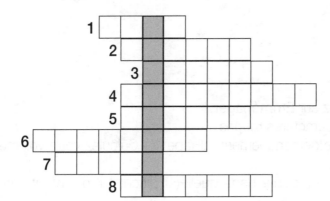

1. meuble de la chambre, sert à dormir ou se coucher.
2. meuble du salon, un long siège à dossier, sert à être assis.
3. meuble de la salle à manger ou de la cuisine, où on range les assiettes, les verres etc.
4. meuble de la chambre, avec une glace, pour se coiffer les cheveux.
5. dans le salon : appareil d'éclairage avec plusieurs lampes. On le suspend au plafond.
6. meuble de la chambre, sert à suspendre des vêtements.
7. dans la salle de bains, surface de verre pour se regarder.
8. dans la salle de bains, meuble formé de plusieurs planches superposées.

Le meuble caché : ....

VOUS AVEZ UN CONSEIL À ME DONNER ?

1. Entrez dans le site **www.seloger.com**
2. Dans la barre en haut de la page, cliquez sur **Emménager**.
3. Cliquez sur le titre **Déménagement** en caractères rouges.
4. Repérez le texte **Conseils d'organisation**, cliquez sur le lien **En savoir plus**.
5. Dans le tableau suivant, vous avez quelques conseils qu'on vous donne dans le texte. Notez comment on le dit dans le texte. (Suivez l'exemple)

Exemple : Choisissez des professionnels du déménagement qui n'habitent pas loin de chez vous.	Sélectionnez des déménageurs proches de chez vous.
1. Enlevez le carburant de tous les moteurs.	
2. Environ 1 à 2 mois avant la date prévue, il faut demander au déménageur combien vous devez payer et quelles sont les conditions.	
3. Il n'y a pas de prix fixe : chaque déménageur peut demander ce qu'il veut.	
4. La personne qui déménage (vous donc !) doit contrôler si les appareils et machines sont bien prêts pour être transportés.	
5. Le frigo doit être vide pendant au moins une journée avant le déménagement.	
6. Le prix demandé dépend de la saison : il y a des périodes plus chères et des périodes moins chères.	
7. N'emballez pas tout d'un seul coup : faites quelques cartons par jour.	
8. Pour bien remplir un carton qui contient des objets fragiles, vous pouvez mettre du papier journal froissé, puis, vous le fermez et vous le collez avec du ruban adhésif.	
9. Pour les périodes des vacances scolaires il faut réserver le déménageur 2 mois avant la date prévue.	
10. Sur chaque carton, il faut écrire le nom de la pièce où il est rempli.	
11. Un carton plein est mieux à transporter qu'un carton qui n'est pas complètement rempli.	
12. Un mois avant la date prévue, vous devez fixer la date avec le déménageur de votre choix.	
13. Vous ne devez pas mettre des choses qui prennent feu facilement.	
14. Vous ne pouvez pas mettre plus de 6 assiettes les unes sur les autres.	

39. UN DÉPARTEMENT FRANÇAIS : LA VENDÉE

Thème : *Géographie*

SITES : www.cybevasion.fr et www.vendee.fr

Objectifs :
Compréhension écrite sélective
Observation d'images et vocabulaire de la description

 OÙ EST LA VENDÉE ?

1. Allez sur le site **www.cybevasion.fr**
2. Tout en bas de la page, trouvez **Guide de Tourisme en France.**
3. Dans la zone de recherche, tapez **Vendée** et répondez aux questions.

1. Dans quelle partie de la France se trouve la Vendée ? Au nord ? Au sud ? À l'est ? À l'ouest ?

....

2. Comment s'appelle l'Océan qui borde ses côtes ?

....

3. Quelle est la superficie du département ?

....

4. Quel est le point culminant (le plus haut) ?

....

5. Comment s'appelle la préfecture (la ville principale d'un département) ?

....

6. Regardez la carte. Quelles sont les deux autres villes importantes ?

....

BIENVENUE EN VENDÉE (I)

1. Allez sur le site **www.vendee.fr**
2. Cliquez sur **Vidéos** en bas sur la droite.
3. Sur la nouvelle page, repérez **Découvrez la Vendée**.
4. Cliquez sur l'onglet et sélectionnez **Bienvenue en Vendée**.
5. Regardez une première fois et observez bien les images.

Vous allez voir dans l'ordre : La mer, une plage, des plages, un homme, une femme à vélo, une femme brune avec des lunettes de soleil, le ciel, les nuages et vous allez entendre : « La Vendée vous y êtes. Voici 5 bonnes raisons d'y rester ».

La première raison est : LA MER. Regardez les images et mettez les éléments dans l'ordre d'apparition.
Si vous avez des problèmes de vocabulaire, consultez le dictionnaire de TV5 (voir la fiche 2, activité 4).

		ORDRE
1.	Un pêcheur avec une casquette bleue. Il porte une moustache et regarde de gauche à droite. Il sourit.	
2.	Une femme dans un bateau à moteur. Elle est à l'arrière.	
3.	Un port avec au premier plan une bouée rouge.	
4.	Un bateau avec des voiles marron. On voit plusieurs images, des jeunes gens qui hissent la voile.	
5.	Une petite fille blonde qui court sur la plage.	
6.	Les vagues qui arrivent sur la plage.	
7.	Un homme à cheval sur la plage. Un deuxième cheval court à côté de lui.	
8.	Une maison avec des vélos posés devant.	
9.	Un sportif sur une planche à voile.	
10.	Un couple sort de l'eau. L'homme et la femme sourient.	
11.	Un deuxième port avec au fond des maisons blanches.	
12.	Un bateau à voile.	

Il reste 4 bonnes raisons de rester en Vendée : **La nature, le patrimoine, l'hospitalité et l** **fête.** Regardez une nouvelle fois et rangez les éléments dans le tableau.
Si vous avez des problèmes de vocabulaire, consultez le dictionnaire de TV5 (voir la fiche ? **activité 4).**

	Éléments	La Nature	Le patrimoine	L'hospitalité	La fête
1.	Des pierres taillées pour les églises		X		
2.	Une femme à cheval				
3.	Un serveur et un client dans un restaurant				
4.	Un feu d'artifice				
5.	Un homme joue au golf				
6.	Des cracheurs de feu				
7.	Des ruines				
8.	Un champ, un étang, des oiseaux, des touristes avec des jumelles				
9.	Des cuisiniers en cuisine				
10.	Une piscine				
11.	Des arbres, une forêt	X			
12.	Deux personnes jouent de l'orgue				
13.	Une visite dans un musée				
14.	Une église				
15.	Deux clientes d'un établissement de thalassothérapie				
16.	4 personnes dans une barque sur un marais				
17.	Un homme et une femme s'embrassent				
18.	Des cavaliers en habits moyenâgeux				
19.	Un château				
20.	Des danseurs la nuit				X

40. CHEZ CLÉMENT

Thème : *La restauration*

Sites : www.chezclement.com
www.google.fr

Objectifs :
    Vocabulaire : repas, plats, restaurant
    Formation professionnelle en France (les diplômes)
    Métiers du restaurant : vocabulaire et compréhension

 VISITE DU SITE

1. Ouvrez le site **www.chezclement.com**
2. Cliquez sur le drapeau français.
3. En haut de la page, vous avez 9 liens.
4. En suivant les liens **restaurants**, **photos**, **réservation**, **contact** et **emploi, les métiers**, vous pouvez trouver la réponse aux questions suivantes.
5. Notez les réponses.

  1. Le site est présenté en combien de langues ? Lesquelles ? ....

  2. Il y a combien de restaurants « Chez Clément » ? ....

  3. Il y a combien de restaurants « Chez Clément » **dans** Paris ? ....

  4. Regardez les photos de 4 restaurants : Bastille, Boulogne, Opéra et Saint-Michel. Dans quel restaurant il y a un feu allumé ? ....

  5. Vous voulez réserver par Internet dans le restaurant « Wagram ». On accepte la réservation pour combien de personnes au maximum ? ....

  6. Vous voulez recevoir une documentation. Quels sont les 6 champs à remplir obligatoirement ?

  7. Vous voulez recevoir une photo de bonne qualité. À qui adressez-vous la demande ?

  8. Quel est le restaurant le plus proche de la Seine ? ....

  9. Combien de salariés il y a « Chez Clément » ? ....

10. L'enseigne « Chez Clément » est créée en quelle année ? ....

119   LA CARTE

1. Ouvrez le site **www.chezclement.com**
2. Cliquez sur le drapeau français.
3. Cliquez sur le lien **Cartes**.
4. Lisez bien cet article et complétez les phrases du texte.
5. Utilisez les mots ci-dessous (attention : chaque mot est à utiliser une seule fois).

dessert | deux cent vingt | diabolo | douze | poissons | six | viandes | vingt-cinq | vingt-huit | zéro

1. Le délice de fromage blanc à la fraise est un (a) .... Il contient (b) .... % de matières grasses.

2. Le pavé de rumsteck grillé pèse environ (c) .... grammes.

3. Le menu junior est réservé aux moins de (d) .... ans.

4. Dans le menu junior, le (e) .... et le jus d'orange sont de (f) .... centilitres.

5. Le filet de lieu est un plat de la rubrique « (g) .... ».

6. Le magret de canard rôti est un plat de la rubrique « (h) .... ».

7. Les huîtres sont servies par (i) ....

8. Un menu à la carte coûte environ (j) .... euros.

120   LES MÉTIERS

Si vous n'êtes pas familier avec les diplômes français, regardez d'abord le tableau.

Le BAC	l'examen qu'on passe – en France – à la fin des études secondaires.
Le BAC PRO : bac professionnel	ouvert aux titulaires de BEP et CAP, il permet d'élargir les connaissances acquises dans un domaine précis
Le BEP : brevet d'études professionnelles	diplôme qui permet à son titulaire d'entrer dans la vie active ou de poursuivre des études.
Le CAP : certificat d'aptitude professionnelle	diplôme qui donne à son titulaire une qualification d'ouvrier ou d'employé qualifié dans un métier déterminé

1. Ouvrez le site **www.chezclement.com**
2. Cliquez sur le drapeau français.
3. Cliquez sur le lien **Emploi**.
4. Suivez les liens vers les professions.

5. Dans les articles, cherchez les informations nécessaires pour associer les informations : chaque information de la première colonne correspond à une information de la deuxième et une information de la troisième colonne.

La profession	Le travail	Le diplôme et la formation
I. Assistant de direction	**1.** Elle assure l'accueil et le placement des clients et elle gère l'ensemble des réservations.	**a.** CAP/BEP cuisine ou Bac Pro cuisine + expérience significative au sein d'une brigade.
II. Chef de cuisine	**2.** Il assiste le Directeur de restaurant sur plusieurs missions liées à l'encadrement du personnel et la gestion opérationnelle du restaurant.	**b.** CAP/BEP cuisine ou Bac Pro cuisine + expérience significative dans un poste similaire.
III. Chef de partie	**3.** Il assure la gestion administrative du personnel (préparation des paies, formalités d'embauche et de sorties du personnel…).	**c.** CAP/BEP restaurant ou Bac Pro + une première expérience dans cette fonction.
IV. Chef de rang	**4.** Il assure le service des clients en collaboration avec les commis de salle.	**d.** CAP/BEP restaurant ou un Bac Pro + expérience réussie d'au moins 2 à 3 ans dans la restauration.
V. Commis de Bar	**5.** Il est chargé de la mise en place et de la bonne tenue des rangs qui lui sont confiés.	**e.** Débutant avec un CAP/BEP cuisine et/ou une expérience significative sur un poste similaire.
VI. Commis de cuisine	**6.** Il gère les marchandises, contrôle les stocks, réalise les commandes et assure les différents inventaires.	**f.** Débutant avec un CAP/BEP restaurant/ Mention complémentaire barman ou une première expérience significative.
VII. Commis de salle	**7.** Il remplace le chef de cuisine lors de ses absences.	**g.** Débutant avec un CAP/BEP restaurant, ou une première expérience dans une fonction similaire.

La profession	Le travail	Le diplôme et la formation
VIII. Directeur de restaurant	**8.** Missions : responsable de la tenue du banc d'huîtres, il compose les plateaux de fruits de mer et assure la vente à emporter.	**h.** Débutant BTS hôtellerie/restauration option A + expérience dans un poste similaire.
IX. Écailler	**9.** Responsable de la gestion du bar, il prépare et envoie les apéritifs, les vins et les boissons chaudes pendant le service.	**i.** Débutant BTS hôtellerie/restauration option A.
X. Économe	**10.** Responsable de l'ensemble des activités du restaurant.	**j.** Diplôme supérieur d'École hôtelière ou de commerce + une expérience réussie dans une fonction similaire.
XI. Hôtesse	**11.** Responsable de sa partie, il assure avec son équipe la fabrication, les mises en place, le dressage et l'envoi des produits.	**k.** Formation d'écailler ou expérience significative dans le métier.
XII. Maître d'hôtel	**12.** Sous la responsabilité du chef de partie, il participe à la fabrication des denrées liées à sa partie (entrées, desserts, rôtisserie, chaud) et aux mises en place.	**l.** Formation hôtelière + une expérience significative en management.
XIII. Second de cuisine	**13.** Sous la responsabilité du directeur de restaurant, il supervise l'ensemble de la cuisine (préparations, mises en place, finitions des plats).	**m.** CAP/BEP cuisine ou Bac Pro cuisine + expérience dans l'organisation et le management d'une brigade de cuisine.
XIV. Second maître d'hôtel	**14.** Véritable manager, il a un rôle d'encadrement et de formation auprès d'une équipe de chefs de rang et de commis de salle.	**n.** Une première expérience dans l'accueil, la vente.

I	II	III	IV	V	VI	VII	VIII	IX	X	XI	XII	XIII	XIV

41. ASTÉRIX

Thème : *Cinéma, bande-annonce et affiche*

Site : http://allocine.msn.fr/film/fichefilm_gen_cfilm=28537.html

Objectifs :
Compréhension orale
Formulation de questions (ordre des mots)

 REGARDONS L'AFFICHE

1. Allez sur le site **http://allocine.msn.fr/film/fichefilm_gen_cfilm=28537.html**

2. Cliquez sur l'affiche pour l'agrandir. Vous voyez 6 personnages du film. En haut, vous voyez les noms des 5 acteurs et de l'actrice.

Pour avoir des indices : consultez la partie **Générique** (à droite, dans la partie : **Tout sur le film**) et complétez le texte ci-dessous.

« Il y a deux hommes barbus. L'un est le druide. Il s'appelle .... (1). L'acteur qui joue ce rôle s'appelle .... (2). L'autre a une barbe noire. Il s'appelle .... (3). C'est le rôle tenu par .... (4). L'homme à la moustache rousse est .... (5). L'acteur s'appelle .... (6). Son copain aux cheveux blonds est .... (7), c'est le rôle tenu par .... (8). Il y a encore un homme : .... (9). Il est Romain. L'acteur qui joue le rôle s'appelle .... (10). L'actrice principale du film est .... (11). Elle tient le rôle de .... (12). »

1. Allez sur le site **http://allocine.msn.fr/film/fichefilm_gen_cfilm=28537.html**

2. Cliquez sur **Bande-annonce**, écoutez-la deux fois et notez pour chaque phrase qui l'a prononcée.

3. Choisissez parmi ces noms : Astérix – César – Cléopâtre – Numérobis – Obélix – Otis – Panoramix – Soldat romain.

		Qui l'a dit ?
A	... dans la marmite, étant petit, oui.	
B	Avec combien de temps de retard ?	
C	Ça, c'est clair.	
D	Ce ne sont pas les Romains qui ont construit les pyramides.	
E	Ces trucs pointus, là ?	
F	C'est impossible à tenir.	
G	Je ne crois pas que ce soit une bonne nouvelle, mais c'est ça.	
H	Le petit chien-là, c'est Idéfix.	
I	Le petit Gaulois a un nom de héros.	
J	Non, Obélix, tu es tombé...	
K	Qui est gros lourdaud, là ?	
L	Tu as trois mois, jour pour jour. Top chrono.	
M	Vous êtes nouveau ici ?	

Écoutez de nouveau et mettez les phrases dans l'ordre chronologique. La première phrase que vous entendez garde la même lettre mais a le numéro 1, la deuxième le numéro 2...

A	B	C	D	E	F	G	H	I	J	K	L	M

Vous êtes toujours dans le site **http://allocine.msn.fr/film/fichefilm_gen_cfilm=28537.html**

1. Voici 10 phrases en désordre. Chaque phrase est une question.

2. Mettez les phrases en ordre (faites attention aux majuscules, aux points d'interrogation). Les réponses se trouvent dans les rubriques **Accueil**, **Générique**, **Box-office** et **Spécificités techniques** (à droite, dans la partie : **Tout sur le film**).

3. Ensuite, écrivez chaque question en face de sa réponse dans le tableau.

1. « Mission Cléopâtre » ? – de – est – le – Qui – réalisateur

....

2. à date ? – est – film – Le – quelle – sorti

....

3. Amonbofis ? – est – Qui

....

4. Astérix – c'est – Cléopâtre, – de – et – film ? – genre – quel

....

5. bêtes – ne – Numérobis ? – pas, – quelles – réussit – S'il – manger – vont

....

6. est – Quel – film ? – du – prix – le

....

7. Combien – de – film – la – le – ont – pendant – première – semaine ? – spectateurs – vu

....

8. Combien – d'étoiles – du – film ? – indiquent – la – qualité

....

9. du – durée – est – film ? – la – Quelle

....

10. il – Numérobis – s' – que – Qu'est-ce – recevoir – réussit ? – va

....

	QUESTIONS	RÉPONSES
A		107 minutes
B		50,3 millions d'euros
C		Alain Chabat
D		Beaucoup d'or
E		L'architecte officiel de Cléopâtre
F		Le 30 janvier 2002
G		Les crocodiles
H		Plus de 3 millions
I		Trois
J		Une comédie

42. LE VIADUC DE MILLAU

Thème : *Architecture, technique, circulation*

SITE : http://viaduc.midilibre.com

Objectifs :
Vocabulaire de la circulation, de la construction, des chantiers
Les nombres et les chiffres
Navigation ciblée dans un site pour trouver une information précise

---

 LE PÉAGE !

1. Ouvrez le site **viaduc.midilibre.com**
2. Cliquez sur le mot **Entrer** sous l'image.
3. En haut de la page, au milieu, dans la case **Viaduc Pratique** (texte en blanc sur fond bleu), cliquez sur **Pratique**.
4. Dans le menu à gauche, cliquez sur **Les tarifs du péage et les échangeurs**.
5. En France, il faut parfois payer pour circuler sur les autoroutes. Ce système s'appelle **le péage**. Ce n'est pas le même prix pour tous les véhicules.
6. Voici une liste de véhicules. Classez ces véhicules selon leur montant de péage : du moins cher au plus cher.

a. une auto (véhicules légers) au mois de février
b. une auto (véhicules légers) en été
c. un mobil home (3 tonnes) au mois d'août
d. un mobil home (3 tonnes) au mois de décembre
e. une moto
f. un poids lourd (5 tonnes)
g. un poids lourd (10 tonnes – 3 essieux)
h. un autocar (petit, 2 essieux)
i. un grand autocar (3 essieux)

1 (le moins cher)	2	3	4	5	6	7	8	9 (le plus cher)

UNE GRILLE DE CHIFFRES CROISÉS

1. Ouvrez le site **viaduc.midilibre.com**

2. Cliquez sur le mot **Entrer** sous l'image.

3. En haut de la page, au milieu, dans la case **Viaduc Pratique** (texte en blanc sur fond bleu), cliquez sur **Les chiffres**.

4. Avec les informations de cette page, vous pouvez résoudre la grille de mots croisés. Il faut noter les nombres dans la grille : un chiffre par case.

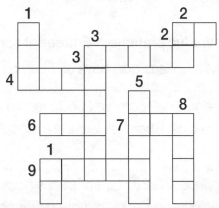

Horizontalement	Verticalement
2. Combien d'architectes ont proposé des dessins avant la société Eiffage ?	**1.** Quelle est la distance entre chaque pile du pont ? En mètres.
3. Quelle est la hauteur de la plus haute pile (la P2) ? En centimètres.	**2.** Combien de mois on a travaillé pour finir les travaux de terrassement ?
4. Le tablier, « la route », a quelle longueur ? En mètres.	**3.** Le total pèse combien de tonnes ?
6. Le tablier est plus long que les Champs-Élysées à Paris. Combien de mètres de plus ?	**5.** Combien de m^3 de béton est-ce qu'on a utilisés pour les sept piles ?
7. Combien d'ouvriers ont travaillé pour construire les piles.	**8.** La plus petite pile mesure combien de centimètres ?
9. Combien de tonnes de fer est-ce qu'on a mis (englouti) dans le béton du chantier.	**9.** Combien de mois pour faire le tablier (la route) ?

1. Ouvrez le site **viaduc.midilibre.com**

2. Cliquez sur le mot **Entrer** en dessous de l'image.

3. À l'aide des menus en haut de la page ou à gauche de la page, trouvez les réponses aux 10 questions posées.

Exemple :

a. Le viaduc de Millau se trouve sur quelle rivière ?

Réponse : Le Tarn

La réponse se trouve Page : Viaduc pratique... Entrées et sorties autour du viaduc : la carte

1. Avant la construction de Millau, dans quel pays de l'Europe se trouve le plus haut viaduc ?

Réponse : ....

Page : *Viaduc pratique / Historique / 20 octobre 2003 : record du monde battu*

2. En 1989, il y a 4 tracés possibles. Cherchez la carte avec ces 4 possibilités. De quelle couleur est le tracé finalement choisi ?

Réponse : ....

Page : *Viaduc pratique / Historique / 1989 : quatre tracés possibles*

3. À quelle date José Bové, le paysan le plus célèbre de France, a visité le chantier ?

Réponse : ....

Page : *Viaduc pratique... Pratique... Visiteurs célèbres... José Bové*

4. Le 14 décembre 2001, Jean-Pierre Gayssot, ministre, pose la première pierre. Quel est à cette date son ministère ?

Réponse : ....

Page : *Viaduc pratique / Historique / 14 décembre 2001 : Jean-Pierre Gayssot pose la première pierre*

5. Le chanteur Henri Salvador a visité le chantier en été 2002. Pour le Mondial de quel sport est-il alors à Millau ?

Réponse : ....

Page : *Viaduc pratique... Pratique... Visiteurs célèbres... La bonne humeur d'Henri Salvador*

6. À quelle date le viaduc est ouvert à la circulation ?

Réponse : ....

Page : *Viaduc pratique... Historique... Le viaduc en 10 dates*

7. Le viaduc fait partie de l'autoroute A75. Cette autoroute relie deux villes françaises : Béziers et quelle autre ville ?

Réponse : ....

Page : *Viaduc pratique... Lexique... A75*

8. L'office du Tourisme programme des visites du viaduc. Une visite pour un adulte coûte combien ?

Réponse : ....

Page : *Viaduc pratique... Reprise des visites*

9. Quel est le prénom de Lord Foster, l'architecte du viaduc ?

Réponse : ....

Page : *Viaduc pratique... Lexique... Foster*

10. Quelle est la durée de vie (minimale !) du viaduc ?

Réponse : ....

Page : *Viaduc pratique... Défi technique*

43. EN AVANT LA MUSIQUE

Thème : *La fête de la musique*

SITES : www.fetedelamusique.culture.fr / www.wikipedia.fr
www.ina.fr/actualite/evenements/18-6-2003.fr.html

Objectifs :
Vocabulaire des instruments de musique
Recherche d'informations sur images et dans une encyclopédie
Civilisation : la fête de la musique, une fête française et internationale
Compréhension orale

 LES AFFICHES

1. Allez sur le site **www.fetedelamusique.culture.fr**
2. Dans la partie gauche de l'écran, vous voyez le menu. Repérez le texte **La fête de la musique**, sur fond bleu. *Passez le curseur dessus. Ne cliquez pas !*
3. Vous voyez, à droite du curseur, un sous-menu. Cliquez sur le texte **historique**, sur fond bleu. Une nouvelle page s'ouvre.
4. Dans la partie gauche de l'écran, vous voyez le menu. Repérez le texte **La fête de la musique**. *Passez le curseur dessus. Ne cliquez pas !*
5. Vous voyez, à droite du curseur, le texte **historique**, sur fond gris. *Passez le curseur dessus. Ne cliquez pas !*
6. Vous voyez à droite **80's**, **90's** et **00's**. Passez le curseur dessus. Ne cliquez pas !
7. À droite, vous voyez les années. Pour avoir l'affiche d'une année, cliquez sur l'année.
8. Si vous avez un problème de vocabulaire, vous pouvez consulter le site **www.wikipedia.fr** et taper **instrument de musique**.

Sur l'affiche de l'année 87, il y a 10 instruments de musique. Dans la première colonne, classez ces instruments par ordre alphabétique (a, b, c, d, etc.)
Regardez les affiches des autres années. Notez pour chaque instrument les autres années où cet instrument est sur l'affiche. Écrivez les dates en lettres.

instrument	années
accordéon	Mille neuf cent quatre-vingt-onze, quatre-vingt-dix-sept et deux mille un

instrument	années

1. Allez sur le site **www.ina.fr/actualite/evenements/18-6-2003.fr.html**

2. Vous allez voir le deuxième et le troisième film : **Première « Fête de la musique » en France – Concert classique dans les jardins parisiens – 1982** et **Fête de la musique au village – JT – France 3 – 22/06/2000**.

3. Pour regarder un film, cliquez sur la petite télévision mauve.

Regardez les deux films. Marquer d'une croix (X) dans quel film vous voyez l'image de la première colonne.

	« Paris »	« Fresne-sur-Loire »
accordéoniste		
chef d'orchestre		
danseurs		
jeunes chanteurs		
joueur de djembé		
orchestre classique		
pianiste		
spectateur sur bicyclette		
spectateurs assis sur chaises		
spectateurs debout		

1. Regardez encore le deuxième film.
2. Notez si le texte dans la première colonne est vrai ou faux. Si c'est faux : corrigez.

	V/F	Correction éventuelle
Les jeunes dansent sur les bords de la Loire.		
Pour le village de Fresne-sur-Loire, la fête de la musique est une tradition.		
Les enfants dansent tôt le matin.		
Toutes les générations se retrouvent pour le repas.		
Le soir, tout le monde reste pour les concerts.		
L'orchestre pop avec Damien est du village même.		
Les musiciens du groupe de Damien ont 15 ans.		
Pour cette première fête, on a mélangé tous les genres.		
Marie-Antoinette est la présidente de l'association « Théâtre et confetti »		
Le village va se coucher vers minuit.		

Thème : *L'aviation, l'expression de la démesure*

S<small>ITES</small> : www.lesclesjunior.com et le dictionnaire de www.tv5.org

Objectifs :
Compréhension écrite précise et expression écrite
L'expression des chiffres, des quantités et des mesures
Vocabulaire

130 UN PEU DE VOCABULAIRE

Avant de lire le texte sur l'Airbus 380, un peu de vocabulaire.
1. Ouvrez le dictionnaire de TV5 (fiche 2, activité 4).
2. Associez le mot ou l'expression avec sa définition. *Exemple :* 1 + F.

	Mots ou expressions		Définitions
1.	donner le vertige	A	Le verbe pour les oiseaux, les avions.
2.	battre des records	B	Un système pour voir ce qui se passe partout dans l'avion, les moteurs…
3.	mesurer	C	Verbe pour exprimer le poids de quelqu'un ou de quelque chose.
4.	peser	D	Verbe qui signifie déplacer une personne ou un objet avec un avion, un train, une voiture…
5.	commander	E	Les personnes qui nous accueillent dans l'avion.
6.	en vitesse de croisière	F	Avoir le vertige, c'est avoir la tête qui tourne si on est en hauteur. Ici les chiffres « font tourner la tête », ils sont très impressionnants.
7.	voler	G	Verbe qui est utilisé pour exprimer le prix d'un objet.
8.	le ravitaillement	H	Pour l'avion ce verbe signifie mettre du kérosène.
9.	transporter	I	Créer, imaginer, fabriquer…
10.	un réacteur	J	Mettre ensemble, réunir.
11.	un écran de contrôle	K	Verbe pour exprimer la taille de quelqu'un ou de quelque chose.
12.	la cabine de pilotage	L	Verbe utilisé pour l'argent qui quitte notre poche.
13.	une hôtesse et un steward	M	Un grand espace pour ranger, construire, réunir…
14.	la vaisselle	N	C'est la vitesse moyenne, pas la plus rapide.

	Mots ou expressions		Définitions
15.	dépenser	O	Un élément, un morceau.
16.	concevoir	P	Les assiettes, les verres, les tasses, les couteaux…
17.	coûter	Q	Expression qui signifie qu'on fait plus, mieux qu'avant.
18.	un hall	R	L'endroit où sont les pilotes.
19.	assembler	S	Un système de moteurs pour les avions, les fusées.
20.	une pièce	T	Ici ce verbe signifie qu'on a demandé, réservé un avion.

1	2	3	4	5	6	7	8	9	10	11	12	13	14	15	16	17	18	19	20
F																			

131 QUELQUES QUESTIONS...

1. Ouvrez le site **www.lesclesjunior.com**
2. Cliquez sur le 6ᵉ et dernier dossier, vert, en bas à gauche : **Archives**.
3. Choisissez la date du **18 janvier 2005**.
4. Cliquez sur **Afficher** et ouvrez l'article **Des chiffres qui donnent le vertige**. Lisez-le puis choisissez la bonne réponse.

1. Il mesure :
  a. 80 m de long ☐
  b. 70 m de long ☐
  c. 90 m de long ☐

2. Il pése :
  a. 8 tonnes ☐
  b. 2 tonnes ☐
  c. 556 tonnes ☐

3. Il peut voler à :
  a. 1 080 km/h ☐
  b. 16 000 km/h ☐
  c. 556 km/h ☐

4. Il peut transporter :
  a. 500 passagers ☐
  b. 800 passagers ☐
  c. de 550 à 850 passagers ☐

5. Il a :
  a. 20 roues ☐
  b. 22 roues ☐
  c. 24 roues ☐

6. Il peut voler sans être obligé de se ravitailler :
  a. 10 000km ☐
  b. 15 000 km ☐
  c. 16 000 km ☐

7. Il possède :
  a. 2 réacteurs ☐
  b. 4 réacteurs ☐
  c. 6 réacteurs ☐

8. Il a :
  a. 20 hôtesses et stewards ☐
  b. 22 hôtesses et stewards ☐
  c. 25 hôtesses et stewards ☐

9. Un appareil coûte :
  a. 200 millions d'euros ☐
  b. 12 milliards d'euros ☐
  c. on ne sait pas ☐

10. Pour l'instant, combien de compagnies ont commandés l'appareil ? :
  a. 490 ☐
  b. 250 ☐
  c. 139 ☐

Avec les informations que vous avez, écrivez maintenant un petit texte. Relisez l'article, cela vous aidera...

L'A380 est le plus gros avion jamais construit. Par conséquent, tous les chiffres qui s'y rapportent battent des records...

Il mesure (1) .... et (2) .... de large. Il pèse (3) .... Une dizaine de compagnies ont commandé (4) .... Il vole à (5) .... en vitesse de croisière.
Il a 22 roues. Il peut voler (6) .... sans ravitaillement. Il peut transporter de (7) .... à (8) .... Il a (9) .... (chacun a une puissance égale à 1 500 moteurs de voiture).
À l'intérieur, il y a (10) .... et (11) .... dans la cabine de pilotage. Il faut (12) .... et stewards mais seulement (13) .... pilotes.
Il faut (14) .... et il a besoin de (15) .... de nourriture, (16) de .... et (17) de .... pour un (18) .... entre l'Europe et l'Asie.
Il a fallu dépenser (19) .... pour le (20) .... et il coûte (21) .... d'(22) ....
Le hall où les différentes parties de l'avion sont assemblées mesure (23) .... de (24) ...., (25) .... de large et (26) .... de (27) ....
Il y a (28) .... en Europe ayant (29) .... les (30) .... de l'A380.

Thème : *La sécurité – la circulation*

<u>SITE</u> : www2.bison-fute.equipement.gouv.fr/

Objectifs :
Vocabulaire
Écriture des chiffres
Compréhension écrite précise

133 LE TÉLÉPHONE AU VOLANT ?

1. Allez sur le site **www.bison-fute.equipement.gouv.fr/**

2. Dans la colonne à droite, repérez la rubrique **Conseils pour mieux circuler**.

3. Dans cette rubrique, cliquez sur **Pas de téléphone au volant**.

4. Dans les phrases sous la grille, il y a des trous. Dans le texte, sur le site vous pouvez trouver les mots qui manquent.

5. Les mots à trouver se trouvent aussi dans la grille. Ils sont écrits horizontalement ou verticalement.

6. Rayez ces mots de la grille et les lettres qui restent forment un mot : lequel ?

A	C	V	É	H	I	C	U	L	E
C	P	O	R	T	A	B	L	E	A
C	O	N	D	U	C	T	E	U	R
I	N	C	I	D	E	N	T	I	R
M	E	S	S	A	G	E	R	I	É
D	S	É	C	U	R	I	T	É	T
T	É	L	É	P	H	O	N	E	R
E	M	E	S	S	A	G	E	S	N
T	A	U	T	O	R	O	U	T	E

1. Il faut choisir entre deux choses : conduire ou .... (1).

2. Quand on prend le volant, il faut arrêter le téléphone .... (2).

3. À bord de la voiture, il faut couper la sonnerie et brancher la .... (3).

4. Pour téléphoner ou écouter les .... (4), il faut s'arrêter dans un lieu adapté et autorisé.

5. Si on veut téléphoner de son .... (5), il faut s'arrêter.

6. Le KIT main libre n'est pas une solution, le .... (6) reste distrait par la conversation.

7. Si on voit un accident, il faut téléphoner à l' .... (7) et en toute .... (8).

8. Quand on téléphone au 112, il faut dire où l' .... (9) s'est passé.

9. À côté de l' .... (10), il y a les bornes d'appel d'urgence.

Les lettres qui restent forment le mot : ....

134 PRÉPARER SON TRAJET

1. Allez sur le site **www.bison-fute.equipement.gouv.fr/**

2. Dans la colonne à droite, repérez la rubrique **Conseils pour mieux circuler**.

3. Dans cette rubrique, cliquez sur **Bien préparer son déplacement**.

4. Répondez aux questions. Il s'agit de pourcentages. Écrivez-les en lettres... Par exemple : dix pour cent.

1. Combien d'automobilistes utilisent Internet pour préparer un voyage ?....................................

2. Combien d'automobilistes se trouvent dans un embouteillage ?..

3. Combien d'automobilistes ont une date ou une heure précise pour arriver sur les lieux de vacances ?...

4. Combien d'automobilistes ne connaissent pas bien le trajet qu'ils vont suivre ?....................

5. Combien d'automobilistes ne regardent pas la carte routière avant le départ ?....................

6. Combien d'automobilistes changent de trajet à cause d'un embouteillage ? ....

7. Dans combien de cas les informations Bison Futé sont utiles pour ne pas être dans les bouchons ? ....

8. Quel pourcentage d'automobilistes tient compte des informations données par Bison Futé ? ....

9. Combien d'automobilistes utilisent les informations données à la télévision pour préparer leur trajet ?..

10. Les informations Bison Futé sont utiles pour quel pourcentage d'automobilistes ? ....

---

135 | **AH, NON ! IL PLEUT**

1. Allez sur le site **www.bison-fute.equipement.gouv.fr/**
2. Dans la colonne à droite, repérez la rubrique **Conseils pour mieux circuler**.
3. Dans cette rubrique : cliquez sur **Chaussée mouillée, chaussée glissante**.
4. Dans chaque phrase suivante, il y a une erreur. Corrigez-la !

		Quelle erreur ?
1.	Le risque d'avoir un accident est triple sur chaussée mouillée.	
2.	Il faut éteindre les feux de croisement dès qu'il pleut.	
3.	Faites attention aux zones bordées d'arbres, surtout sur route droite : le mélange eau/feuilles peut vous faire sortir de la route.	
4.	Conduire sous la pluie demande plus d'attention. Vous allez être fatigué plus vite. Mais le bruit des essuie-glaces vous réveille.	
5.	En 2003, 13 000 accidents corporels se sont produits sur chaussée mouillée (10 000 sous la pluie ou la neige). Ils sont un peu plus graves que sur chaussée sèche.	
6.	Quand il pleut, les accidents avec des camions sont beaucoup plus nombreux (+ 40 %) et les accidents avec piétons ou cyclistes sont nettement moins nombreux : quand il pleut, les piétons et les cyclistes font moins attention.	
7.	Il faut mettre ses essuie-glaces en marche rapide quand on veut doubler un cycliste ou un piéton.	

46. ALLEZ, LA FRANCE !

Thème : *Le football*

SITE : www.fff.fr

Objectifs :
Vocabulaire (sports – football)
Recherche ciblée d'informations
Les chiffres écrits

LE SAVEZ-VOUS ?

1. Allez sur **www.fff.fr** le site officiel de la fédération française de football.

2. Cherchez la réponse aux questions. Pour vous aider un peu, vous trouvez dans la deuxième colonne du tableau les liens à suivre à l'intérieur du site.

	Question	Liens suivis	Réponse
1.	Il y a une saison où la finale de « La coupe de France » ne s'est pas jouée. Laquelle ?	coupe de France, palmarès	
2.	« La coupe de France » a un autre nom. C'est le nom du président-fondateur du Comité français interfédéral. Quel est ce nom ?	coupe de France, règlement	
3.	Quelle est l'adresse postale du club des supporters de l'équipe de France ?	supporters, adhésion	
4.	En 2003, la sélection féminine nationale des moins de 17 ans décroche la troisième place de la 17e compétition du FOJE. Le FOJE, qu'est-ce que c'est ?	sélections, féminine-17 ans	
5.	On vend un DVD qui s'appelle « Les techniques du dribble ». Quel est le nom de l'entraîneur qui explique les exercices ?	formation, outils, DVD	
6.	Quelle est la plus grande défaite que l'équipe nationale française a subie en jouant contre l'équipe roumaine ? Donnez la date du match, le lieu et le score final.	équipe de France, tous les matchs	
7.	Quelle est la plus grande victoire de l'équipe nationale française sur les Belges ? Donnez la date du match, le lieu, la compétition et le score final.	équipe de France, tous les matchs	
8.	Quelles sont les équipes qui se disputent la Supercoupe ?	coupe d'Europe, supercoupe	
9.	En arbitrage, que sont les C.R.A. – C.D.A. ?	arbitrage – présentation	

	Question	Liens suivis	Réponse
10.	Quelle équipe féminine a remporté la victoire du premier mondial ? Quel est le résultat du match ?	féminine A, mondial 2003, palmarès	

 QUELQUES CLUBS

1. Allez sur le site **www.fff.fr**

2. Cliquez sur **clubs**. Pour trouver la fiche du club concerné, utilisez le menu déroulant : « vous cherchez un club de ligue 1 ou de ligue 2 ».

3. Remplissez les éléments manquants dans le tableau.

4. En dessous du tableau, vous trouvez la liste des clubs et des éléments de leur logo à repérer.

Club	couleurs	ville	stade	élément du logo
A.C. AJACCIEN				
	maillot blanc, culotte blanche, bas blancs			cercle bleu
				la mer
LOSC LILLE MÉTROPOLE				
		Lyon		
				« droit au but »
			Stade Louis II	
		Nice		
			Parc des Princes	
	maillot vert, parements blancs, culotte blanche[*], bas verts			
			Stade de la Meinau	
		Toulouse		

[*] information qui ne se trouve pas dans la fiche, mais sur le site du club.

Les clubs, en ordre alphabétique : A.C. AJACCIEN – A.J. AUXERROISE – A.R.C. STRAS-BOURG F. – A.S. DE MONACO – A.S. ST ÉTIENNE – LOSC LILLE MÉTROPOLE – O. DE MARSEILLE – O.M. – O.G.C. NICE CÔTE D'AZUR – OLYMPIQUE DE LYON ET DU RHÔNE – PARIS ST GERMAIN F.C. – ST. MALHERBE CAEN-CALV.B.NORM. – TOULOUSE F.C.

Les éléments du logo, par ordre alphabétique : « 1906 » – « 1970 » – « Droit au but » – « Métropole » – 2 étoiles : une rouge et une bleue – Ballon blanc et noir – Cercle bleu – Couronne jaune – Croix rouge – Foulard – La mer – Lion

1. Allez sur le site **www.fff.fr**

2. Consultez les lois du jeu : cliquez sur **F.F.F.** puis sur **Lois du jeu**. Le document est téléchargeable au format PDF. Pour pouvoir le consulter, votre navigateur doit être équipé du logiciel : ADOBE ACRO-BAT READER. Le site vous donne un lien vers ce logiciel, si vous en avez besoin.

3. Indiquez si les énoncés sont corrects (V comme vrai) ou incorrects (F comme faux) et corrigez éventuellement.

4. Si erreur il y a, la faute se trouve toujours dans les chiffres.

		V/F	correction éventuelle
1.	Le terrain de jeu doit être rectangulaire. Pour les matchs internationaux la longueur minimale est de cent mètres, la longueur maximale de cent dix mètres.		
2.	La largeur minimale du terrain est de soixante-quatre mètres et la largeur maximale de soixante-quatorze mètres.		
3.	Le point du coup de pied de réparation se trouve à 11 mètres du milieu de la ligne reliant les deux montants du but.		
4.	La distance séparant les deux montants du but est de sept mètres trente-deux.		
5.	Le bord inférieur de la barre transversale du but se situe à deux mètres quarante-cinq du sol.		
6.	Le ballon a une circonférence de soixante-dix centimètres au plus et de soixante-huit centimètres au moins.		
7.	Le ballon a un poids de quatre cent quarante grammes au plus et de quatre cent dix grammes au moins au début du match.		
8.	Pour la F.F.F., une équipe masculine doit être composée au minimum de sept joueurs dont un gardien de but.		
9.	Pour la F.F.F., pour les compétitions féminines, une équipe doit être composée au minimum de sept joueuses dont une gardienne de but.		
10.	La pause de la mi-temps ne doit pas excéder quinze minutes.		
11.	Quand il y a un coup franc direct ou indirect en faveur de l'équipe défendant, tous les joueurs de l'équipe adverse doivent se trouver au moins à neuf mètres quinze du ballon.		

47. LES OUTILS

Thème : *Le bricolage*

SITES : www.castorama.fr / www.commeunpro.com / www.viewontv.com

Objectifs :
   Vocabulaire : les outils et le bricolage
   Compréhension orale / discours indirect

---

139 LES OUTILS

1. Allez sur le site **www.castorama.fr**

2. Dans la colonne de gauche, en haut, vous voyez une case rouge. Ici, vous pouvez taper un mot, puis cliquez sur **OK** et vous voyez les produits trouvés.

3. Cliquez sur le nom d'un produit pour voir la photo.

4. Cherchez la photo des objets de la liste ci-dessous.

5. Identifiez les onze photos dans le tableau.

6. Notez les noms des objets dans la grille, les noms sont dans la liste.

De haut en bas, dans les cases grises, vous pouvez lire le nom de l'objet mystère.

AGRAFEUSE – APPLICATEUR – BALADEUSE – BROSSE – CALE – COFFRET – COMPAS – DISQUE – ÉCHELLE – MARTEAU – NIVEAU – PINCE – RALLONGE – RUBAN – SCIE – SPATULE – TENAILLE – TOURNEVIS – TRUELLE

132

1. Allez sur le site **www.commeunpro.com**

2. Trouvez la rubrique **apprendre** et cliquez sur **cinéfiches**. Regardez les cinéfiches :
- rubrique menuiserie, **Savez-vous planter des clous ?**
- rubrique menuiserie, **Scier une planche**.
- rubrique électricité, **Remplacer un interrupteur**.
- rubrique plomberie, **Déboucher un évier**, fiche 1 et fiche 2.
- rubrique construction : **Percer un carrelage sans le fendre**.

3. Dans la grille : marquez d'une croix les outils utilisés. Si vous ne connaissez pas un outil, utilisez le lien du premier exercice pour trouver la photo.

	planter des clous	scier	remplacer	déboucher	percer
un chasse clou					
un ciseau					
un déboucheur					
un furet					
un marteau					
un tournevis					
une équerre					
une perceuse					
une scie					
une ventouse					

141 LES FEMMES BRICOLENT

1. Allez sur le site **www.viewontv.com/lm_qm/choix.php ?id=29**
2. Choisissez votre connexion (haut ou bas débit) et le logiciel installé sur votre ordinateur.
3. Regardez le film **Les femmes et le bricolage**.
4. Mettez les phrases en ordre chronologique du film.
Attention : les phrases parlent du film. Ce ne sont pas des phrases prononcées dans le film.

a. 6 femmes sur dix bricolent.
b. Dans un magasin de bricolage, les femmes se sentent à l'aise comme dans une parfumerie.
c. Elle a très envie d'aider, parce que ça l'amuse.
d. Elle aime investir dans le bricolage.
e. Elle fait du travail de précision et de décoration.
f. Elle s'est mise au bricolage après l'achat de leur maison.
g. Le jardinage est le domaine de Lola.
h. Lola va suivre un cours de peinture décorative.
i. Monsieur Lefèvre fait la plomberie et l'électricité.
j. On vend des perceuses plus légères pour femmes.
k. Pour la femme, le confort du produit est important.
l. Tout est à disposition au même endroit.
m. Un homme peut acheter une machine pour son plaisir.

1	2	3	4	5	6	7	8	9	10	11	12	13

48. UN PEU DE « CULTURE »

Thème : *La France*

SITE : www.ambafrance.org.uk/zipzap/constellation.html

Objectifs :
Vocabulaire : repas, plats, fêtes
Informations sur quelques fêtes, sur quelques villes

 HABITER EN FRANCE

1. Ouvrez le site **www.ambafrance.org.uk/zipzap/**
2. Si le site s'affiche en anglais, cliquez sur le petit drapeau français (en haut à droite).
3. Cliquez sur **Villes et villages de France**.
4. Dans les pages **Des noms inoubliables**, **Devine où j'habite ?** et **Paris : la capitale**, vous pouvez trouver les informations pour associer chaque élément de la première colonne à un élément de la deuxième colonne.

1. 16 arrondissements	**a.** 15ᵉ arrondissement
2. 24 heures automobile	**b.** Angoulême
3. des bêtises	**c.** Cambrai
4. le festival de la Bande dessinée	**d.** Cannes
5. Genève, Lyon, Valence, Arles	**e.** Eu, Ay et Is
6. une HLM	**f.** la grande dame
7. la porcelaine	**g.** la Seine
8. la tour Eiffel	**h.** Le Mans
9. le festival du cinéma	**i.** Le Rhône
10. les amateurs de mots croisés	**j.** Limoges
11. Parc André Citroën	**k.** Marseille
12. Troyes, Rouen, Le Havre	**l.** un immeuble

1	2	3	4	5	6	7	8	9	10	11	12

LA FRANCE DES FÊTES

1. Ouvrez le site **www.ambafrance.org.uk/zipzap**
2. Si le site s'affiche en anglais, cliquez sur le petit drapeau français (en haut à droite).
3. Cliquez sur **calendrier des fêtes**.
4. Cherchez dans le texte de tous les mois. Associez la fête de la première colonne à un élément ou une tradition de la deuxième colonne.
5. Notez dans la troisième colonne le nom du mois.

	fête		élément (tradition)	mois
1.	La fête de la Musique	**a.**	Après la récolte, dans les régions de vignobles, il y a beaucoup de fêtes.	
2.	La fête des mères	**b.**	C'est la journée en l'honneur des femmes : les femmes demandent la fin des grandes différences entre homme et femme.	
3.	La fête des pères	**c.**	Il y a des défilés militaires, des bals dans les rues et des feux d'artifice le soir.	
4.	La fête des Rois	**d.**	La personne qui trouve le petit objet dans une galette devient le roi ou la reine de la fête.	
5.	La fête du Travail	**e.**	Le premier jour de l'été, chacun, amateur ou professionnel, donne un petit ou grand concert.	
6.	La fête nationale française	**f.**	Les amoureux sortent, vont au restaurant et les garçons donnent des fleurs ou des bijoux aux jeunes filles.	
7.	La journée des « poissons »	**g.**	Les enfants offrent un petit cadeau à leur père.	
8.	La journée internationale des Femmes	**h.**	Les enfants offrent un petit cadeau ou des fleurs à leur mère.	
9.	La rentrée scolaire	**i.**	Les gens essaient de faire des farces aux autres.	
10.	La Saint-Valentin	**j.**	Les gens mettent un sapin dans la maison.	
11.	Les fêtes des vendanges	**k.**	On a l'habitude d'aller porter des chrysanthèmes sur les tombes.	
12.	Noël	**l.**	On défile dans les rues pour demander de meilleures conditions de travail.	
13.	Toussaint	**m.**	On range les maillots de bain et on ressort les cartables.	

1	2	3	4	5	6	7	8	9	10	11	12	13

1. Allez sur le site **www.ambafrance.org.uk/zipzap**

2. Si le site s'affiche en anglais, cliquez sur le petit drapeau français (en haut à droite).

3. Cliquez sur **Bon appétit**.

4. Dans les pages **À table !** et **Tour de France gourmand**, vous pouvez trouver les mots manquants dans les phrases suivantes. Mettez ces mots dans la grille.

Horizontalement	Verticalement
1. Il a beaucoup de travail, il a du … sur la planche	**1.** Il est naïf, il est une bonne …
4. Mon père n'est pas maigre, il a la …	**2.** On mange les … de Paris.
6. Il est tout petit : il est haut comme trois …	**3.** Le …, le repas du soir est souvent léger.
7. Les odeurs préférées des Français sont, dans l'ordre : le …, le pain chaud et la vanille.	**4.** Les jours de fête et certains dimanches, on va chez le boulanger chercher une … croustillante.
10. Il raconte des histoires sans valeur : des histoires à la …	**5.** La … est un plat alsacien
11. Les … de Vichy sont des bonbons.	**8.** Il ne dit pas la vérité, et voilà, il est rouge comme une …
12. Les … de Verdun sont des sucreries qu'on mange à des fêtes comme les baptêmes ou les mariages.	**9.** La … lorraine est très connue.

49. UN PEU D'HISTOIRE

Thème : *Chronologie – Français célèbres – culture française*

SITES : www.histoire-image.org et www.alyon.org/generale/histoire/france/

Objectifs :
Observation d'images
Les dates et les chiffres
La chronologie
Compréhension précise dans un site
Civilisation française : petite et grande histoire de la France

 CHERCHEZ L'IMAGE

1. Allez sur le site **www.histoire-image.org**
2. Trouvez la barre Recherche et cliquez sur **Détaillée** (au centre).
3. Vous voyez une page qui vous permet de chercher.
4. Trouvez la réponse et complétez le tableau comme dans l'exemple.

	Question	Recherche	Réponse
0	Il y a deux photos de la construction de la tour Eiffel. À quelle date est prise la première ?	recherche libre : « tour Eiffel »	le 26-12-1888
1	Où se trouve le « Buste de Clémenceau », fait par Auguste Rodin en 1911 ?		
2	Quel est le titre de la plus vieille photo dans la rubrique « sport » ?		
3	Quel animal il y a devant l'avion dans la photo « Avion de Santos-Dumont… » ?		
4	Dans l'affiche « cinématographe Lumière » de 1896, combien de personnes regardent le film ?		
5	Dans le musée des Beaux-Arts et d'Archéologie de Besançon, il y a une peinture datant de 1850. Elle mesure combien ? (hauteur et largeur)		
6	En 1899, quelle usine a fait la grève au Creusot ?		
7	De combien d'acteurs de cinéma il y a une photo prise en 1952 ?		
8	Combien coûte le journal L'Aurore où Émile Zola a écrit son article « J'accuse » ?		

	Question	Recherche	Réponse
9	Combien de drapeaux français il y a sur le document de la Première fête nationale du 14 juillet (1880), à Paris et à Angers ?		
10	Il y a combien de dessins du XIXe siècle ?		

46 EN QUELLE ANNÉE ?

1. Allez sur le site **www.alyon.org/generale/histoire/france**
2. Pour chaque période, dans le tableau, il y a un événement politique.
3. Cherchez-le et notez l'année de l'événement.
4. Classez les événements par ordre chronologique : du plus ancien au plus récent.

	Événement	Année
A	Appel de De Gaulle à Londres.	
B	Clovis couronné roi des Francs.	
C	Création de l'Union pour la nouvelle République (UNR).	
D	Élection de Louis Napoléon Bonaparte à la présidence de la République.	
E	Élection présidentielle : Valéry Giscard d'Estaing l'emporte de très peu sur François Mitterrand.	
F	Élections à la chambre : succès des modérés ; Jean Jaurès est élu.	
G	Entrée de Bonaparte dans Milan.	
H	La Guadeloupe, la Martinique, la Guyane et la Réunion reçoivent le statut de département d'outre-mer.	
I	Louis-Philippe Ier, roi des Français.	
J	Mariage de Henri IV et de Marie de Médicis.	
K	Mariage de Napoléon et de Marie-Louise.	
L	Organisation administrative de la Gaule par Auguste.	
M	Ouverture du congrès de Vienne.	
N	Paix d'Amiens avec l'Angleterre.	
O	Programme républicain de Belleville.	
P	Robespierre entre au Comité de Salut Public.	

1	2	3	4	5	6	7	8	9	10	11	12	13	14	15	16

1. Allez sur le site **www.alyon.org/generale/histoire/france**
2. Pour 15 périodes, dans le tableau, il y a un événement culturel. Cherchez-le et notez l'année de l'événement (les événements sont déjà classés par ordre chronologique).
3. Sous ce tableau, vous trouvez une liste de 15 liens. Chaque lien est lié à un des événements culturels. À vous de les associer.

N°	Année	Événement	Site (A – O)
1.		Peintures de Lascaux	
2.		Première Bible de Charles le Chauve, dite Bible de Vivien	
3.		François Rabelais, *Pantagruel*	
4.		Canova, *l'Amour et Psyché*	
5.		Jacques Louis David, *les Sabines*	
6.		Inauguration de la colonne Vendôme	
7.		Théodore Géricault, *le Radeau de la Méduse*	
8.		Victor Hugo, *Notre-Dame de Paris*	
9.		Gustave Courbet, *Un enterrement à Ornans*	
10.		Charles Gounod, *Faust*	
11.		Zola, *Germinal*	
12.		Marcel Carné, *les Visiteurs du soir*	
13.		Le Corbusier s'impose en architecture	
14.		Albert Camus, prix Nobel de littérature	
15.		Inauguration du Centre national d'art et de culture Georges-Pompidou à Paris	

A	http://cartelfr.louvre.fr/pub/fr/image/23440_p0000806.001.jpg
B	http://cartelfr.louvre.fr/pub/fr/image/23479_p0001280.001.jpg
C	http://dvdtoile.com/Filmographie.php?id=2504
D	http://expositions.bnf.fr/brouillons/grand/p049.htm
E	http://www.alsapresse.com/jdj/04/10/09/IRF/article_7.html
F	http://www.best-of-perigord.tm.fr/sites/semitour/cheval.gif
G	http://www.bnf.fr/loc/bnf070.jpg
H	http://www.davidphenry.com/Paris/paris151_fr.htm
I	http://www.domaine-public.net/article.php3?id_article=6
J	http://www.herodote.net/histoire03160.htm
K	http://www.insecula.com/contact/A009216.html
L	http://www.insecula.com/oeuvre/photo_ME0000052587.html
M	http://www.insecula.com/oeuvre/photo_ME0000053565.html
N	http://www.univ-montp3.fr/~pictura/GenerateurNotice.php ?numnotice=A0588
O	www.cnac-gp.fr

50. HISTOIRE D'ATHÈNES

Thème : *Architecture, urbanisme*

SITE : www.tv5.org

Objectifs :
Compréhension orale globale
Observation d'images

 OBSERVER LES IMAGES

1. Allez sur le site de TV5, **www.tv5.org**
2. Avec « l'ascenseur » allez tout en bas de la page d'accueil et cliquez sur **WebTV5**.
3. À gauche, vous voyez plusieurs liens. Cliquez sur **Cultures du monde**.
4. Cliquez sur **24 heures à Athènes** puis sur le premier document : **Athènes, le village métropole**.

Regardez-le une première fois et observez bien les différentes séquences et dites si les affirmations ci-dessous sont vraies ou fausses.

		Vrai	Faux
1	Le document montre des images avec une voix *off* puis une personne parle et de nouveau il y a des images puis une personne parle, etc.		
2	On voit chaque personne interrogée trois fois.		
3	On voit d'abord une femme puis un homme.		
4	L'homme est le maire d'Athènes.		
5	Au début les images sont en noir et blanc.		
6	Il n'y a pas d'images en couleurs.		
7	On voit plusieurs fois la ville de loin.		
8	On voit des plaques d'immatriculation de voitures.		
9	On montre une place célèbre d'Athènes, la place Omonia, une place ronde.		
10	Au total il y a 8 séquences (4 fois des personnes parlent et 4 fois il y a des images avec une voix *off*).		

Écoutez une deuxième fois et répondez aux questions.

1. La ville d'Athènes a…
   a. 3 mille ans ☐
   b. 4 mille ans ☐
   c. 5 mille ans ☐

2. La Grèce devient indépendante
   a. dans les années 1820 ☐
   b. en 1834 ☐
   c. au lendemain de la Première Guerre mondiale ☐

3. Athènes compte alors…
   a. 4 000 habitants ☐
   b. 40 000 habitants ☐
   c. 400 000 habitants ☐

4. Devenue capitale en 1834, elle est reconstruite dans le style néo-classique par des architectes…
   a. grecs ☐
   b. français et allemands ☐
   c. russes ☐

5. Au XIXᵉ siècle, elle est surnommée…
   a. la Suisse de la Méditerranée ☐
   b. la Paris de la Méditerranée ☐
   c. le Berlin de la Méditerranée ☐

6. Les architectes, experts, ont construit…
   a. 2 % des maisons et immeubles ☐
   b. 12 % ☐
   c. 20 % ☐

7. En 2005, Athènes compte 3 millions d'habitants soit…
   a. un quart de la population grecque (25 %) ☐
   b. un tiers (33 %) ☐
   c. un gros tiers (plus de 33 %) ☐

8. Les Athéniens ont restauré…
   a. toute la ville ☐
   b. certains quartiers historiques seulement ☐
   c. un seul quartier, la Plaka ☐

9. Le grand problème d'Athènes est…
   a. la pollution et les embouteillages ☐
   b. le climat ☐
   c. la présence d'étrangers ☐

10. La ville d'Athènes
   a. est démesurée mais reste humaine ☐
   b. est démesurée et inhumaine ☐
   c. est une cité-dortoir ☐

Avec les éléments ci-dessous, écrivez en quelques lignes l'histoire d'Athènes.

Naissance	il y a 4 000 ans.
Indépendance de la Grèce au XIXe siècle	dans les années 1820.
Athènes capitale	en 1834. Population : 4 000 habitants.
Au XIXe siècle	reconstruite par des architectes allemands et français. Style : néo-classique 98 % des constructions sont anarchiques.
En 2005	Il y a 3 millions d'habitants. Grand problème : la pollution et les automobiles.
Restauration	certains quartiers historiques seulement.
Ville démesurée	mais encore humaine.

Athènes a été créée il y a 4 000 ans. ....
....
....
....
....
....
....

Imprimé en France par l'imprimerie Hérissey à Évreux (Eure)
N° d'éditeur : 10129283 - N° d'imprimeur : 101828 - Dépôt légal : mai 2006